Cwtsh

MANON RHYS

Straeon Byrion

GOMER

Argraffiad cyntaf - 1988

ISBN 0 86383 482 5

Dymuna'r cyhoeddwyr gydnabod cymorth a chyfarwyddyd Adrannau'r Cyngor Llyfrau Cymraeg a noddir gan Gyngor Celfyddydau Cymru.

Argraffwyd gan J. D. Lewis a'i Feibion Cyf.,
Gwasg Gomer, Llandysul, Dyfed

I Mam,

ac er cof am 'Nhad

Cynnwys

Y Labrinth

Rhyw ddiwrnod fe ddaeth Rhywun tua'r tŷ,
A theimlais Rywbeth rhyfedd yn fy nghalon . . .

Gwladus Rhys (W. J. Gruffydd)

★

Yno y mae e yng nghanol y gerddi, yn fagl i ysglyfaeth fel y bydd gwe'r cor i bryfyn.

Chi wahoddedigion dethol i blasty fwrw'r Sul Cyngor y Celfyddydau, chi bileri'r genedl, chi ddarpar lenorion ac egin feirdd ac efrydwyr allanol a gwybodusion yr Academi—gochelwch.

Phyllis Jones, gwraig briod barchus ganol-oed a chymar ffyddlon y Parchedig Cadfan Jones, gweinidog yr Hen Gorff, a faglodd iddo, ac a aeth ar goll . . .

Dyna, wrth gwrs, beth oedd i'w ddisgwyl. Dyna, wrth reswm, bwrpas y lle. Difyrrwch diniwed, sbort bach plentynnaidd; gwahoddedigion dethol yn cuddio rhwng cloddiau, yn crwydro'r twneli troellog a'r llwybrau dirgel. Mae mentro i labrinth yn sbort mawr i bawb.

Nes iddo'ch caethiwo fel pryfyn yng ngwe'r cor. Nes i'r chwerthin afieithus droi'n llefain afreolus . . .

★

Dere nawr, Phyllis, rho linell drw'r cwbwl. Ffrwyna dy hunan a chofia beth wyt ti'n dreial 'i neud. Bod yn oeraidd wrthrychol, neu greu campwaith llenyddol? Bwrw dy fola, neu ennill y Fedal Ryddiaith?

"Bydd yn wrol, paid â llithro,
Er mor dywyll yw y daith . . ."

O ie, yr emynydd yn dod i'r adwy unwaith eto â'i gyngor hawdd 'i roi mewn cyfyngder. "Cofiwch eirie'r emynydd" yw 'i fyrdwn e Cadfan Sant o bulpud uchel 'i ystrydebe saff, cyn dechre dyfynnu Gwirionedde Mowr Pobol Eraill.

"Er i'r llwybyr dy ddiffygio . . .
Cred yn Nuw a gwna dy waith . . ."

Cyngor hawdd iawn 'i roi mewn cyfyngder—iddyn nhw. Nhw'r praidd, nhw'r gynulleidfa, nhw bawb arall, sy'n ysu am dy gysur di, Gadfan Sant.

"Y Parchedig D. Cadfan Jones, B.A., B.D. (Cymru), Cysurwr, Cynghorwr, Cyfarwyddwr, Dyfynnwr Gwirionedde Mowr Pobol Eraill. Ar gael bob awr o'r dydd a'r nos—a gwraig i gymryd negeseuon."

O ie, cred yn dy Dduw, Barchedig bach, a gwna dy waith, dy waith brawdgarol, braf. Fe gei di lafarganu dy bregethe brau, fe gei di stwffo d'emyne lawr corn gwddw gwancus dy gynulleidfa a dyfynnu'r Gwirionedde Mowr hyd at syrffed. Ond sylweddoli di fyth fod 'na un ddafad fach ddu yn dy braidd, un ddafad golledig na thrafferthodd y bugail da gam o'i stydi clyd erioed i chwilio amdani . . .

A hithe Phyllis Jones, yn wraig gweinidog dda, anhepgor iddo yn 'i waith, wnaeth addunede fil i gadw'r llwybyr cul.

Ond ffaelu roedd . . .

★

Swcro dy surni yw hyn 'to, 'rhen Phyl. Beth yw pwrpas tindroi fel hen iâr ori? Cer nôl i'r dachre a threial d'ore i gofio pethe'n glir.

Ti'n cofio'r lleuad Fedi, a'r nos Wener serennog honno . . .

A'r dyn . . .

Darlithydd gwadd, wyneb cyfarwydd, ffigwr cenedlaethol. Siwt wen a sbectol ar lwyfan y Brifwyl; tei goch a macyn-poced i fatsho; llais radio cyfoethog, gwên awgrymog . . .

"Beth am wâc fach 'da fi i weld y labrinth?" awgrymodd y wên.

Beth am sbort bach plentynnaidd, difyrrwch diniwed rhwng dau? Dau mewn dyrysfa, dau rhwng y cloddie, dau mewn twneli troellog, ar lwybre dirgel. Dau'n deall 'i gilydd, dau'n arwain 'i gilydd at y pwynt di-droi'n-ôl, at grombil disberod.

A hithe Phyllis, gwraig barchus y Parchedig Cadfan Jones, B.A., B.D., yn chware cwato fel croten. Chwarddodd yn afieithus wrth ddiflannu i'r labrinth 'da'r darlithydd gwadd, a dwyllai ddwy, 'i wraig a'i gariad, 'i fod e'n saff am y nos rhwng pileri'r genedl. Brasgamodd yn eiddgar a'i llygaid yn pefrio, gan 'i synnu hi'i hunan â'i brwdfrydedd gwyllt. Arwain a dilyn, dilyn ac arwain bob yn ail. Cychwyn ar wibdaith i grombil disberod. Mynd hanner ffordd . . .

Ond ddim pellach.

A hithe Phyllis Jones, yn wraig gweinidog dda, a drodd 'i chamre'n ôl i'r llwybyr cul mewn pryd, er i'r chwerthin afieithus droi'n llefain afreolus . . .

Drannoeth, diflannodd y wên. Dihangodd y darlithydd gwadd, a dwyllai ddwy, i darth bore Sadwrn.

Pa un o'r ddwy, ai un o'r ddwy, a'i croesawodd i ginio a gwely? Pa un o'r ddwy, ai un o'r ddwy, wrandawodd ar 'i stori hir am noswaith ddiflas a chwmnïaeth hesb, am ddihangfa gyfyng rhwng darlith naw a the deg? Pa un o'r ddwy, ai un o'r ddwy, a chwarddodd am yr hanes trist am fenyw briod ganol-oed, gwraig barchus i weinidog yr Hen Gorff, a'i taflodd 'i hunan, gorff ac enaid wrth 'i draed, a cheisio'i lusgo i ddirgelion crin 'i chnawd? A ffaelu . . .

Pa un o'r ddwy, ai un o'r ddwy, a freiniwyd ganddo i rannu'i gobennydd lês ag e'r nos Sadwrn wresog honno?

★

'Ma ti 'to! Pwy wyt ti'n feddwl wyt ti—Edna O'Brien neu Eigra neu Erica Jong? Pam na chyfaddefi di'n blwmp ac yn blaen i'r dyn gerdded mas o dy fywyd di mor hamddenol ag y gwenodd e'i ffordd i dy galon? Wyt ti'n cofio i ti fod weddill y dydd yn dy ddagre? I ti benderfynu cychwyn sha thre ganol prynhawn?

A beth am y *lay-by* ar ben y Bannau lle buest ti'n rhythu am ddwyawr ar nant yn rhaeadru a'r car yn fwg menthol wyth More? Cyfri dwy lorri ar bymtheg y fyddin mewn confoi; gweld bugail a'i gi yn cyfri'r praidd. Teulu bach dedwydd yn cyrraedd am bicnic—torth gyfan o fara, dwy botel Gorona, tomatos a 'fale, sach deulu o greision, tri chornet a thwba o fan Mr Whippy—a dim ar 'u hôl ond llond basged o sbwriel.

Taflu bonion a llwch y More drw'r ffenest rhag cythruddo'r Sant.

Ailgychwyn ar dy daith sha thre.

Y dydd Sadwrn niwlog hwnnw ym Medi y teimlest ti gynta frath y boen sy 'da ti byth. Y nos Sadwrn desog honno y dychmygest ti gynta gynnwrf y gobenyddion lês yng ngwely un a gaiff 'i thwyllo. Yn orie mân y Sul y profest ti gynta'r dyheade dierth yn dy wely cul dy hunan . . .

Yn oedfa Sabath y Gwirionedde Mowr, a Chadfan ystrydebol a'i braidd cysurus, cegrwth yn 'i law, roedd dafad ddu golledig yn dyheu am ffoi fel bollt o gorlan saff y bugail da.

Phyllis Jones, gwraig briod ffyddlon ganol-oed, a gododd drannoeth gyda'r wawr i gwrdd â'r postmon, rhag ofn fod ganddo rywbeth gwell na *Barddas* a'r *Goleuad* yn 'i sach.

Phyllis Jones, gwraig barchus y Parchedig Cadfan Jones, gweinidog yr Hen Gorff, glustfeiniai am y ffôn uwch sŵn yr hwfer, rhag ofn fod yno rywun heblaw un o'r praidd.

Phyllis Jones, yn tynnu at 'i hanner cant, a wridai'n dost fel croten bymtheg oed pan glywai enw un a dwylla lawer eto i gylla gwe'i labrinth.

Phyllis Jones, gwraig briod barchus ganol-oed, a chefen i'r Parchedig Cadfan Jones, gweinidog yr Hen Gorff, ac un o'r Saint, a geisiodd grwydro unwaith oddi ar y llwybyr cul.

A ffaelu . . .

Noson Drista'r Byd

Mae'r tŷ yn wag heb dy chwerthin heno,
Mae'r byd yn wag heb dy gwmni di . . .

Mynediad am Ddim

'Nghariad i . . .

O's 'da ti funud i ddarllen hwn? O's 'da ti un funud fach, rywle yng nghanol Cyfarchion y Tymor, rhwng dy Nadolig Llawen di a'th Flwyddyn Newydd Dda?

Ti'n iawn. Fel arfer wyt ti'n hollol iawn. *Gin* yw hi heno 'to. "Glased o *bitter lemon* a'r diferyn bach lleia o *gin* ar 'i ben e", fel y bydde Mam yn 'i weud. Twyllo pawb o'dd hi'n dreial neud. Ond thwyllodd hi neb yn diwedd. Dim hyd yn o'd hi'i hunan.

Lwyddes inne ddim chwaith. Ma hi'n anodd 'da fi gredu bod unrhyw un yn neud, er bo' nhw'n gweud nag o's dim byd haws. Cwato poteli yn garej a mynd mas i'r car i yfed; arllwys *gin* i'r botel donic; tablenna yn 'tŷ-bach . . .

A'r c'wilydd yn 'y myta i . . .

O'dd hwnnw'n arwydd da, medden nhw. Ti'n cofio? O'dd teimlo c'wilydd yn profi nag o'dd pethe wedi mynd tu hwnt. O'dd e'n profi bo' 'na gannwyll fach yn rhywle'n ddwfwn, ddwfwn, a'i fflam yn dal i losgi'n wan. O'dd e'n profi bo' 'na linyn bach tene'n dal yn ddigon cryf i 'nghodi i lan o'r dyfnderoedd . . .

Ma'r llinyn yn edafedd frau erbyn hyn.

Ma'r gannwyll wedi diffodd.

'Nghariad i, paid â neud sbort am 'y mhen i. Paid â mynd yn grac a stopo darllen a thowlu hwn i'r tân. Ma 'da fi shwt gymint o bethe ar 'y meddwl, shwt gymint o bethe wy isie i ti wbod, shwt gymint o bethe i gyfadde. Ac os na 'na i heno, 'na i byth . . .

Paid â becso. Wy ddim yn mynd i "ddachre 'to", na "chadw mla'n a mla'n", na dy ddiflasu di na sbwylo dy Nadolig di. Wy'n addo, wir, wy'n addo. 'Na'r peth d'wetha 'nelen i. Wedi'r cwbwl, beth fydde'r pwynt, a finne wedi "dachre 'to" shwt gymint o weithe, wedi dachre a chwpla, wedi agor y drafodeth a chau pen y mwdwl, wedi ca'l 'yn rhoi ar ben ffordd ac wedi mynd ar gyfeiliorn, dro ar ôl tro ar ôl tro, nes bo' 'mhen i'n troi, nes bo'r cwbwl yn gawdel, nes bo' fi ar goll yn lân . . .

Hebddot ti . . .

Alla i dy glywed di nawr, yn gwmws fel y gwedest ti yn y sbyty'r dwyrnod 'ny, a thithe'n credu bod y drws ynghau a finne 'di mynd lawr y coridor yn ddigon pell.

"Beth sy'n bod ar y fenyw? Y gwir yw 'i bod hi'n lico bod yn ddiflas. Ma hi'n joio bod yn y falen. Whilo am gydymdeimlad, 'na'i gêm hi'r bitsh fach."

A'r gwir o'dd dy fod ti'n iawn.

Sefyll 'na 'nes i, y tu fas i'r drws, yn aros amdanat ti. A fe wywes i dan iâ dy edrychiad di.

A heno, wyt ti'n iawn 'to. Pam ddiawl wyt ti wastad yn iawn? Pam odw i'n sinco i'r Falen Fowr heno o bob nosweth? Ma 'da fi dŷ a thân a chysuron Nadoligaidd lu. Awr fach arall a fe fydd hi'n "fore-Nadolig-gwyn-a'r-clychau'n-canu-a'r-trimins-ar-y-goeden-a'r-twrci-yn-y-ffwrn-a'r-plant-yn-chwerthin . . ."

A'r plant yn wherthin . . . 'Da ti . . .

Y gân ar y record 'ma sy'n 'yn lladd i. Wy wedi'i whare hi'n dwll ers orie, a ma hi'n gwella bob gafel, yn gwella wrth ladd.

"Eistedd 'yn hunan ar noson drista'r byd,
Ma'r byd wedi mynd o'i go . . ."

Geirie da, ontefe? Y byd a fi—fi a'r byd, yn mynd o'n co 'da'n gilydd. 'Na sbort! Ishte ar 'y mhen 'yn hunan fach, ganol nos ar nosweth drista'r byd, yn llympro *gin*, yn whare *Trivial Pursuit* 'da'r gath—ac yn colli'n rhacs. 'Na chi gocteil bach angheuol i'ch rhoi chi yn y mŵd iawn ar gyfer parti joli noswyl Nadolig yw record fach sentimental, *bitter lemon* a'r diferyn bach lleia o *gin* ar 'i ben e, a llond hosan wag o hunandosturi. Treiwch e rywbryd, y diawled! Ma fe'n siwr o'ch llorio chi. Garantîd!

Nhw sy ar 'yn meddwl i. Odyn nhw'n cysgu erbyn hyn, sgwn i? Na 'dyn glei! Ma hi Elin fel jac-yn-y-bocs, siwr o fod, a Iolo'r diawl bach yn ffaelu byw yn 'i gro'n. Ti'n 'i gofio fe'n un bach—beth o'dd e, rhyw bump—yn esgus cysgu am orie, a'r hen Santa'n go'ffod loetran ar 'landin cyn mentro gadel y beic bach coch wrth y drws? A'th hi'n dri y bore cyn bo' pethe'n saff. Ond o'dd pawb ar 'u tra'd cyn toriad gwawr i weld y rhyfeddode cudd yn ca'l 'u rhwygo'n rhydd o'r tinsel. Jawch, ma'r *gin* 'ma'n fardd go lew!

Gobeitho y cewch chi lonydd gweddol bore fory, a chithe â babi bach newydd a chwbwl . . .

Fues i jyst â chodi'r ffôn gynne. Ond fe gofies 'ych bo' chi'n mynd mas i swper. "Parti joli" alwodd Iolo fe yn 'i garden. Ma'n siwr bo' chi 'di ca'l lot o sbort . . .

Ma 'da ti lond tŷ rhwng pawb—dy rieni-yng-nghyfreth, dy wraig, 'ych babi . . . A'n plant ni . . .

Ma hi fel y bedd fan hyn, mor dywyll, mor dawel.

"A neb ni wêl na lle na dull
'I marw tywyll, tawel . . ."

O ble da'th hwnna mor sydyn, gwed? Hei, dere 'merch i, paid ti â dachre whare meddylie! Gêm ddansherus yw hi, a thithe ar dy ben dy hunan fach fel hyn. Whare di dy Drifial Byrsiwt yn deidi. Ma honno'n saffach glei!

Licen i siarad â rhywun. Licen i siaro'r botel 'ma 'da rhywun, yn lle'i hyfed hi ar 'i phen, ar 'y mhen 'yn hunan . . .

Santa fydde'r boi. Ma fe'n hen gyfarwydd â dala pen rheswm â menwod unig, rhwystredig. Ma fe'n un o'r dynion 'ny sy'n "digwydd galw heibo wrth baso", sy'n rhoi tri chaniad ar gloch y ffôn i weud 'u bod nhw ar y ffordd. Ond ma fe'n gofalu parco'i gar llusg yn ddigon pell o'r tŷ, rhag i bobol ddachre siarad. O ody, ma'r hen gi'n lico'i damed bob hyn a hyn, siwr o fod, fel pawb normal.

Ond 'na fe, sdim lot o bwynt iddo fe alw heibo 'ma heno. Ma'r aelwyd yn ddi-blant a finne'n feddw gaib. Tr'eni 'fyd, achos wy'n lico caru o fla'n tân . . .

Wy newydd gofio rhywbeth, rhywbeth neis. Ti'n cofio'r nosweth 'ny yn y bwthyn yn Donegal, nosweth ola'n mis mêl, cyn cychwyn dranno'th nôl am Gorc ac Abertawe?

"Wy isie neud rhywbeth na 'nath Alan Llwyd erio'd," meddet ti, "na Jane Edwards na Dafydd Rowlands hyd yn o'd. A dim ond dychmygu'r peth yn awchus 'nath y boi 'na yn *Ienctid yw 'Mhechod*!"

A fan'ny fuon ni am orie ar y mat o fla'n y tân mawn, a thywod tra'th Killybegs yn arllwys o'n dillad ni, a ninne'n matryd 'yn gilydd, bilyn wrth bilyn, a'r gwres yn 'yn llethu ni nes bo' ni'n whŷs drabŵd . . .

"Ddown ni i aros fan hyn 'to," meddet ti wedyn. "Yn y gaea, pan fydd hi'n oer, fydd y lle 'ma fel nefoedd. Ddown ni 'ma dros y Nadolig pan fydd 'da ni blant.

Dychmyga ni'n dou'n hwyr y nos wrth y tân 'ma, yn paratoi'r cwbwl at dranno'th 'da'n gilydd. A'r plant—'yn plant ni—yn cysgu lan llofft . . . 'Na sbort gewn ni, ontefe!"

'Na sbort allen ni fod wedi'i ga'l . . .

"Ryw ddwyrnod fe geith e'r hen Santa drip bach i Donegal . . . O ceith, ryw ddwyrnod . . ."

Ryw ddwyrnod, falle ceith e drip i fwthyn bach Dun Muire ger Killybegs yn Donegal, a disgyn drw'r shime fowr i'r aelwyd las. Ma pentwr o fawn 'na, a mat moethus liw'r grug yn 'i ddisgwyl o fla'n tân . . .

Falle'i fod e ar 'i ffordd. Neu falle'i fod e 'na'r funud 'ma yn joio'i fins pei a'i sieri, cyn dachre llanw sane rhyw blant bach lwcus. Ond dim 'yn plant ni . . . Na, dim 'yn plant ni . . .

'Ngharia d i, alla i ddim sgrifennu mwy. Alla i ddim gweld pethe'n glir. Beth bynnag, do's dim pwynt, achos chei di ddim darllen hwn. Ma 'da'r tân un jobyn bach arall cyn iddo fe 'ngadel i am y nos. Fydd 'na ddim ar ôl yn y bore ond llond grat o gols marw ac atgofion yn lludw oer . . .

Nos da, 'nghariad i . . . Nadolig Llawen a Blwyddyn Newydd Dda i ti . . . ac i bawb sy yn dy dŷ . . . yn enwedig 'y mhlant i . . .

Fy Nghroten Fowr, Fy Menyw Fach

Birth is the start of loneliness
and loneliness the start of poetry . . .

Dear Marys, Dear Mother, Dear Daughter
Erica Jong

Paid â sylwi arna i. O ganol llonydd dy laeth a mêl a chreision ŷd, paid â sylwi arna i'n dy lygadu di.

Paid â sylwi arna i fel cwch heb lyw ar fôr agored, yn chwilio am harbwr glas dy lygaid, yn rhyfeddu atat â'r un rhyfeddod noeth â'r tro cyntaf hwnnw y syllon ni'n llawn cywreinrwydd i lygaid ein gilydd. Minnau'n feddw dwll gan *pethidine* a gas-an-êr a chariad. Tithau newydd gyrraedd yn hanner dall o dwnnel tywyll fy nghroth.

Ti a mi, am y tro cyntaf. Dwy, a fu'n un, fel un yn erbyn pawb. Pawb, fel un gŵr, yn erbyn dwy.

Dwy yn gwmni i'w gilydd yn nüwch oriau'r nos, yn chwilio am 'i gilydd yng ngwyll pob bore bach. Dwy yn estyn am 'i gilydd drwy niwl y dyddiau cynnar, yn cysuro'i gilydd yn iselder y Mis Du. Pluen dy law fach ar fy moch, ac ymchwil dy wefus ar fy mron fel glöyn byw yn hofran ar rosyn . . .

Dwy a fu groth yng nghroth sy'n lled-lygadu'i gilydd dros y ford. Dwy a fu'n saff yng nghwlwm siol Mam-gu yn ffaelu â chwrdd â'i gilydd dros y pellter pren . . .

Dwy a rannodd fron a llwy'r diddyfnu . . .

Dwy a fu'n cyd-dorri geiriau'r adnabod cynnar. Dwy a fu'n cyd-ddathlu'r gollwng cyntaf, pan fentrodd coesau blwydd y bwlch rhwng bord a drws . . .

Dwy sy bellach yn ffiolo'n un mewn gwely . . .

Ond un fach ddieithr sy am y ford â mi, a hithau neithiwr, yn yr oriau mân, wedi gollwng gwaed ar fatres ddwbwl. La Gioconda fach ddirgel 'i gwên yn cadw'i chyfrinach newydd yn 'i chalon. Un fach ddeuddeg oed yn cario'i dolur misol am y tro cyntaf, wrth groesi'r bwlch at ddrws dieithrio.

Y dieithrio yw fy nolur i . . .

Fy mabi deuddeg oed, a gedwi di'r gyfrinach newydd yn dy galon weddill y dydd, neu'i rhannu hi ag ambell Fona Lisa arall?

Fy nghroten fowr, aros 'ma am ennyd fach cyn mentro mas tu hwnt i'r drws. Gad i mi am ychydig eto dy gadw'n saff yn siol Mam-gu.

Fy menyw fach, oes modd gohirio'r ymddieithrio tan ryw ddiwrnod arall? Rho gyfle imi fod yn ddewr a throi clust fyddar ar yr ofnau mud. Rho amser i mi gynefino â byw a bod a chysgu ar 'y mhen fy hun.

Cyn bod yn fam, bydd dithau'n fam i mi . . .

Paid â sylwi arna i. O ganol llonydd dy laeth a mêl a chreision ŷd, paid â sylwi arna i'n dy lygadu di.

Ma'n rhaid i ti fynd . . . Ma hi'n bryd i ti fynd. Paid ag edrych yn ôl na chodi dy law.

Fe gaea i'r drws. Fe gliria i'r ford. Fe olcha i ddillad ein gwely . . .

Ac aros amdanat ti . . .

Noson y Gêm

. . . bûm ddirym oddefol
fel fy rhyw di-lais . . .

Menna Elfyn

★

"O leia mi fedrat ti neud yr ymdrach! Neu 'di hynny'n ormod i ddyn 'i ofyn gin 'i wraig o'i hun?"

Dim o gwbwl. "Hi a ymdrechodd ymdrech deg" yw beddargraff pob gwraig rinweddol.

"Sbïa o gwmpas! Ma gwragadd pawb arall yn 'u mwynhau'u hunain!"

Ma 'na lot fawr o wragedd yn esgus 'u bo' nhw'n mwynhau.

"Siawns na fedri ditha neud yr un fath."

Sdim byd haws. Fe ges i ddigonedd o ymarfer, a blynyddoedd o brofiad.

"Gobeithio, wir Dduw, nad wyt ti'n mynd i ddifetha'r noson i mi—ac i bawb arall!"

Whare teg, fe fydde hynny'n hunanol.

"Iawn 'ta . . . Ty'd . . ."

Iawn 'te . . . Dim problem . . . Cymryd ana'l hir, a gwenu.

Craffu drw'r mwg am wyneb cyfarwydd. Ysu am gyfle i ddatgan gymaint ydw i'n mwynhau. Hei, Wynebe Cyfarwydd, welwch chi fi'n mwynhau? Welwch chi fi'n joio? Wy'n joio mas draw. Ma 'nghwpan i'n llawn. Ond ma 'ngwydryn i'n wag . . .

Wynebe Cyfarwydd Iawn sy'n casglu fel defed wrth y bar. Dwsine o Wynebe Cyfarwydd Iawn yn gwenu'n deg ar 'i gilydd, yn winco ar 'i gilydd, yn siarad yng nghefne'i gilydd. Pob un â'i fwgwd cyhoeddus, pob un â'i stori barod, a phob un yn pipo ar 'i lun 'i hunan yn y drych mawr y tu ôl i'r bar.

Wynebe Cyfarwydd lond y lle. Finne'n nabod neb . . .

"Ieu 'achan! Y feri dyn o'n i isie'i weld . . ."

"Huw, sut wyt ti . . ."

"Isio dy longyfarch di ar y rhaglan neithiwr. Argol, gest ti hwyl ar honna!"

"Oedd hi'n océ, toedd? A chan 'yn bod ni'n canmol 'yn gilydd, waeth i mi ddeud 'that ti 'mod i'n mwynhau'r rhaglan newydd 'na sgin ti."

Wynebe Cyfarwydd am byth.

"Gyda llaw, dyma'r wraig . . ."

"O, ma'n ddrwg gin i—chi 'di gwraig Ieu . . ."

'Na beth wedodd y dyn . . .

"'Dan ni ddim 'di cwrdd, naddo . . ."

Do . . .

"Do?"

Ond so chi'n cofio.

"Sgin i ddim cof . . . Ond cael noson fach allan efo Ieu dach chi 'lly. Neis . . . Bachu ar y cyfla, debyg, fath â Beryl, 'y ngwraig i. Huw B.A. ma hi'n 'y ngalw i, 'chi. Huw Byth Adra, 'te!"

Hiwmor Ffalabalam.

"A phwy sy'n gwarchod i chi heno?"

O's diddordeb gwirioneddol 'da chi? Odych chi o ddifri isie i fi ddachre manylu ynglŷn â system ddi-ffael y cylch gwarchod, a faint o bwyntie coch sy 'da fi, a shwt ma Rhidian yn ca'l sterics bob tro y bydda i'n 'i adael e, a shwt ma Non yn dial drwy neud pî-pî yn 'gwely?

Na, go brin . . .

Pwy yw'r cawr mawr swnllyd 'na yn 'i Levis coch a'i grafát Liberty? Fel hwrdd dwyflwydd mewn mart, yn tindroi o dan y gole gwyn. Yr actor, wrth gwrs—Capten Rhydderch yn *Capten Rhydderch a Dihirod y Gofod* a'r alcoholic yn yr epic ddwyawr ar y Sianel dro'n ôl. Ma fe'n adnabyddus iawn, ac yn 'i acto fe'i hunan yn well na neb, medden nhw . . .

A'r llall 'na sy'n blet yn 'i beint dros y bar, fel llo bach a'i ben mewn bwced. Hen ŵr bach meddw, deg ar hugen oed, yn foliog, foel, ac yn Farcsydd cadair-esmwyth yn 'i dŷ bach Wimpy *neo-Georgian* yn Llandaf. Tu fas i'r Cŵps y gweles i fe dd'wetha'n chwydu'i gyts 'rôl boddi'i *pass degree* mewn pymtheg peint o meild. Sgwn i fydd e'n 'yn nabod i? A'th lot o gwrw o dan bont Trefechan ers deng mlynedd . . . Beth o'dd y ddrama o'dd 'dag e ar y bocs yn dd'weddar? Ma fe'n ddramodydd o fri erbyn hyn . . .

A hwnna sy'n gwasgu arno fe i dderbyn peint. Gwarcheidwad y Pethe, un â'i fys ar byls y genedl, Cymro i'r carn, 'i farn yn gadarn a'i gydwybod yn glir. Llythyr i'r *Cymro*'n rheolaidd; brygowthan ar y *Stondin* bob cyfle ddaw. Fuodd 'i lun ar glawr *Y Faner* sawl tro, a ma fe'n golofnydd cyson . . .

Ond hwn yw'r boi . . . Ma fe'n sefyll mas, hyd yn oed heb 'i goron Steddfod Butlins. Bardd addawol, digon cyffrous yn 'i ddydd. Trwch blewyn oedd rhyngddo a choron y Brifwyl sawl tro. Fe gath e gam, druan bach, medden nhw . . .

Ma rhywun yn gweiddi.

"Ieu, y coc oen!"

"Len, y bastad! Sut ddiawl gest *ti* ddwad i mewn?"

"Nabod y bobol iawn, 'sti. Ma'r lle 'ma mor handi ar noson gêm, 'tydi. Pobman arall mor llawn."

"Gêm dda oedd hi, 'te?"

"Ew, gwych . . . A dwi inna 'di cael Diwrnod i'r Brenin ers i mi ada'l y wraig yn Marks am hannar dydd a mynd am sesh i'r Angel."

"Ti 'di'i thrênio hi'n dda 'lly!"

"Wel, toes 'na'm o'r hen fusnas 'Womens Lib' 'na yn tŷ ni! Ond mae o'n costio'n ddrud y diawl i mi. Canpunt gafodd hi heddiw i fynd i siopa'n hogan dda . . ."

Ma fe wedi cribo'i wallt yn ofalus dros 'i batshyn moel.

"Cofia, mi oedd hi'n torri'i bol isio dwad efo mi heno. Ddim yn 'y nhrystio fi efo'r genod, yli!"

Ma hen boer wedi ceulo yng nghornel 'i geg e.

"Mi lwyddis i i' gadal hi efo'i chwaer, diolch byth. Chwara teg, ma dyn angan amball noson fach allan ar 'i ben 'i hun, 'tydi."

Ma diferyn o chwys neu rywbeth yn hongian o'i drwyn e.

"A hon 'di'r Musus, ia? Sut dach chi, del? Ieu a finna'n fêts ers oes pys, 'chi. Dyddia'r Normal, yntê Ieu? Ew, ddôs wer ddy dês! Ond cyn i *chi* ddwad ar y *scene* wrth gwrs, del. Be oedd enw'r hogan glên 'na fuost ti'n poetsian efo hi, dwad? Honna adawodd 'i nicyrs ar y fainc ar ffor' Siliwen . . . Ew, sori! Do'n i'm yn cofio bo'r Musus yn gwrando!"

Pam na droith e'i ben wrth dorri'i wynt drewllyd?

"Ti'n cofio'r sesh drw'r nos gawson ni yn yr *Union* noson y Ryng-golegol? Oedd hi'n ryng-golegol iawn rhyngot ti a'r gochan fach boeth 'na o Gaerfyrddin. Un o fyfyrwyr diniwad 'rhen Norah, myn diain i!"

Fe ddihanga i at y bar . . .

"Ma hi'n hen bryd i ni gael noson fawr eto, 'sti. Ond jyst yr hogia . . ."

Beth wela i yn y drych? Yr Actor Adnabyddus wedi ca'l gafel ar fenyw fawr mewn ffrog biws. Ma'r Dramodydd o Fri'n clustfeinio ar 'u sgwrs. Ma'r Bardd Gafodd Gam yn adrodd, yn llawn arddeliad, ddetholiad o'i Englynion Coch i'w gynulleidfa gaeth. Rhoi min ar 'i bensil ma Colofnydd Cyson *Y Faner* . . .

Pwy yw hon yn 'i *White Linen* a'i sandale aur? Doli blastig, wallt felen, yr un boerad â Sindi.

"Ieu! Cariad! Sut *wyt* ti!"

'Bach yn shigledig ar ôl y gusan 'na, glei.

"Bronwen . . . Ti'n edrach yn dda—fel arfar, wrth gwrs."

"Ac wyt titha'n sebon i gyd fel arfar, yr hen gi! O, ma gin ti gwmni . . . Be am 'yn cyflwyno ni 'ta?"

Gwraig Ieu ydw i.

"Wel! Pwy fasa'n meddwl! Sut dach chi? *Ma*'n dda gin i'ch cyfarfod chi . . ."

Wy'n dda iawn, diolch . . . Gweddol . . . Uffernol . . . Rhy hwyr . . .

"Dwi 'di clywad gymint amdanoch chi gin Ieu. O do . . . Ond 'dach chi'n hollol wahanol i be o'n i'n 'i ddisgwyl! Faswn i byth 'di'ch nabod chi, cofiwch. Ond ma'n siwr 'i fod o'n reit braf hefyd—mynd o gwmpas heb i neb 'ych nabod chi. Ma hi'n medru bod yn *embarrassing* iawn, 'chi. O ddifri rwan . . . Wel, cymwch chi ddoe ddwytha. Prynu 'Nhampax yn Boots o'n i, a dyma'r ddynas 'ma ata i—diolch ma dynas oedd hi 'te—a gofyn, 'Chi ydi Bronwen Hughes?' Wel, be fedrwn i ddeud? Isio'n llofnod i oedd hi, wrth gwrs . . . Mi wyt titha 'di cael yr un profiad, debyg, Ieu . . ."

"Tydw i ddim yn iwsio Tampax, diolch i Dduw!"

"O, un drwg wyt ti! Ond *mae*'r busnas nabod 'ma'n medru mynd yn rhemp, 'tydi, 'nenwedig adra yn y Gogladd. Mae 'na ddigonadd o wyneba cyfarwydd yng Nghaerdydd 'ma, ond triwch chi gerddad fyny Stryd Llyn yn Gaernarfon . . ."

Trafferth fwya Sindis yw 'u bod nhw'n colli'u gwalltie . . .

"A dwi 'di laru ar agor carnifals a sioeau ffansi dres . . ."

Ma fe'n dod mas i gyd ambell waith . . .

"Isio mynd adra i gael seibiant ma rhywun, yntê?"

Sdim posib 'i stico fe nôl.

"Cofiwch, fi fasa'r cynta i gwyno tasa hi fel arall. Ond *ma*'r pethe 'ma'n medru bod yn fwrn . . ."

Ma'r Bardd Gafodd Gam yn ca'l ffwdan gyda'i baladr; ma'r Dramodydd o Fri'n treial dynwared Dylan Thomas; ma'r Actor Adnabyddus yn ca'l ffwdan wrth dreial dynwared pawb a byseddu'r Ffrog Biws yr un pryd. Ca'l ffwdan i aros ar 'i dra'd ma Colofnydd Cyson *Y Faner.*

Ma rhywun a'i fraich am 'y nghanol i.

"Iauan! *How are you*? Shw ma'r hwyl 'te? A Mrs Williams, ife? *Fine . . . Fine . . . You're just the man I want to see.* Dere i gwrdd â'r boi newydd 'na. Ma fe'n *good chap. A bit stuffy perhaps* . . . Mrs. Williams, *sorry to drag him away.* Jyst am bum munud, cofiwch . . ."

Beth yw pwrpas y fraich?

"Boi da yw Iauan chi. *Good boy . . . Fine, fine.* Dewch i fi brynu *drink* bach i chi."

Ma fe'n edrych ar 'i watsh.

"Beth licech chi? Babycham bach, neu Martini?"

Ma hast ar y dyn, siwr o fod.

"Whisky . . . Why not eh? Fine, fine . . . I'll be back in a jiffy . . ."

Paid â hastu.

"Better see how Iauan is getting on. Give him some moral support. O.K.?"

Océ, océ. Cer 'te, ti a'th Old Spice . . . Whisgi a sbeis a phopeth sy'n neis . . . Cer, neu fe fyddi di'n hwyr . . . Ti'n hwyr, ti'n hwyr, ti'n sobor o hwyr. Peth cas yw bod yn sobor o hwyr. Peth cas yw bod yn sobor mewn twll o le fel hwn, yr hen sbeis . . . Hei, gan bwyll bach nawr, gan bwyll bach. Ma 'mhen i'n dachre troi . . . Ma'r fenyw'n mynd dros ben llestri. A dim ar whare bach y dyle menyw fynd dros ben llestri. Nid pethe i fynd drostyn nhw'n fyrbwyll ac yn feddw yw llestri . . . Na, neud ymdrech yw'r gyfrinach. Ymdrechu ymdrech deg . . . Peido disgwyl popeth ar blat . . . Ma 'nghwpan i'n llawn i'r ymylon, cofiwch. Ond ma 'ngwydryn i'n wag . . . 'To . . .

Ma rhywun yn siarad.

"Helô. Ann-gwraig-Wil-sy'n-gweithio-efo-Ieu ydw i."

Shw ma'i, Ann - gwraig - Wil - sy'n - gweitho - 'da - Ieu? Gwraig-Ieu-sy'n-gweitho-'da-Wil ydw inne.

"Gweld golwg go ddiflas arnoch chi, a Ieu draw fan'cw ers hydoedd yn siarad siop."

A Ieu draw fan'na ers amser yn siarad siop â Sindi . . . A Sindi ers amser yn 'i gwerthu'i hunan iddo fe. Ma hi'n llwytho cnou-mwnci i'w geg barod e. Ma fe'n plannu sigarét yn 'i cheg barod hi. Ma'u penne nhw'n dod yn agos, agos, yng ngwres y fflam . . . Watsha dy hunan, Sindi fach. Ma Action Man ar i fyny . . .

"Dowch efo fi i gyfarfod rhai o'r genod."

Tra bo' Sindi'n cwrdd â rhai o'r dynion.

"... Beryl-gwraig-Huw-Morris, Janet-gwraig-Cliff ..."

A chofiwch wraig Lot.

"Yn y cornel fan hyn 'dan ni bob amsar yn ista."

Cornel y Plant.

"Mi oedd yr hyna'n sych pan oedd o'n flwydd a hannar ..."

"Mi fydd o'n iawn ar ôl tynnu'i donsils, medde'r Doctor ..."

"Dannadd sy'n 'i phoeni hi. Dwi ar 'y nhraed bob nos ..."

"Ma 'na hen feirws o gwmpas, mae'n debyg ..."

Ma 'ngwydryn i'n wag ... 'To ...

"O! Ma dau win-a-soda'n hen ddigon i mi!"

"A ma'r Babycham 'na 'di mynd i 'mhen inna!"

"A dwi inna'n dreifio, fel arfar ..."

Peidwch 'te. Fe yfa i ar 'y mhen 'yn hunan—y diawled bach sych.

Ma wyneb y Bardd Gafodd Gam mor goch â'i englynion. Ma'r Actor Adnabyddus yn lapswcho'n awchus ym mhletie'r Ffrog Biws, ac yn llafarganu 'And Death Shall Have No Dominion' bob tro y stopith e i ga'l 'i wynt. Ma'r Dramodydd o Fri'n watsho pob mŵf ma'n nhw'n neud, tra bo Colofnydd Cyson *Y Faner* yn watsho pawb.

A Sindi ac Action Man? Yn rhwbio'u cyrff rwber yn erbyn 'i gilydd.

Mynd at y bar, ac ishte ar stôl uchel. Troi 'nghefen ar bawb, ac esgus nad oes neb 'ma. Esgus nad ŷn *nhw* 'ma. Esgus nad w inne 'ma.

Ond pwy yw'r fenyw fach sy'n pipo mor pathetig arna i o'r drych bob tro y coda i'n llyged? Pwy yw hi, druan fach, sy'n ishte fan'na fel hen gwdihŵ ar frigyn, yn magu'i whisgi a'i gofid? Pwy yw hi na ddaw neb i'w chyfarch, dim ond 'i gadel hi'n unig ar drugaredd y nos?

Ddramodydd o Fri, ŷch chithe'n 'i gwylio. Pam na ddwedwch chi air wrthi? Fe allech chi godi'i chalon wrth sôn am yr hen amser, pan oeddech chi'n dipyn o ffrindie, cyn i'r cwrw fynd dan yr hen bont . . .

Ddramodydd o Fri, gwedwch rywbeth wrthi . . . Unrhyw beth . . . Plîs . . .

"Chi'n joio 'te?"

O Ddramodydd o Fri, oes isie i'r fenyw ddweud 'to? Ma'r peth yn amlwg! Ma hi'n joio mas draw, wrth nofio mewn cwmnïeth ddiddan a sgyrsie diddorol. A whisgi . . .

Ddramodydd o Fri, gwedwch rywbeth arall, rhywbeth diddorol . . . Cyn iddi foddi.

"Odyn ni 'di cwrdd o'r bla'n?"

Dyw e ddim yn cofio . . . A finne 'di meddwl . . . Falle . . . Ond whare teg, shwt allith Dramodydd o Fri gofio pawb?

Damo fe . . .

Damo'r drych . . . A finne'n go'ffod edrych i fyw llyged yr hen gwdihŵ . . . A sylwi beth sy'n digwydd y tu ôl 'i chefen hi . . .

Y Ffrog Biws yn ishte ar lin yr Actor Adnabyddus sy'n bustachu â'i botyme. Ma'r Bardd Gafodd Gam newydd broestio. Ma Colofnydd Cyson *Y Faner* wedi cael llond bola ac yn pendwmpian yn athronyddol dros 'i beint. Ma Sindi ac Action Man yn hercian fel pypede bach cwyr ar lwyfan y byd.

Ma'r cwbwl yn glir yn y drych . . . Ma'r cwbwl yn glir yn y dagre sy'n gymysg â'r whisgi . . .

"Hei! Ma golwg bell arnoch chi!"

Ddramodydd o Fri! Chi yma o hyd? A finne'n dala i ddisgwyl Rhywbeth Diddorol.

"Chi'n lico pethe cryf 'te."

O odw, fel Action Man a Dramodwyr o Fri.

"Ma gweld menyw yn yfed whisgi yn rhoi cic i fi yn y lle iawn."

Drw'r drych, yn ddirgel, wy'n gweld yr Actor Adnabyddus yn ishte'n drafferthus ar lin y Ffrog Biws.

"Dewch â'ch stôl yn nes. Licen i ga'l sgwrs fach â chi . . . Licen i ga'l sgwrs fach â chi drw'r nos . . ."

Am gwrw'n llifo dan bontydd a phethe . . .

"So chi'n gweud lot, odych chi?"

I beth, a Dramodydd o Fri'n gallu gweud y cwbwl?

"'Na i mo'ch byta chi, chi'n gwbod . . ."

Ma tresi aur Sindi'n syrthio'n donne gwyllt lawr 'i chefen hi . . .

"Wy'n lico siâp 'ych corff chi . . ."

Action Man sy wedi'u gollwng nhw'n rhydd . . .

"Ma'ch tits chi'n 'y nghynhyrfu i . . ."

Ma fe'n cribo'i ddwylo trwyddyn nhw'n fanwl . . .

"Wel, os taw fel 'na ŷch chi isie bod . . ."

Ma hi'n gwenu'n blastig arno fe, ac ynte arni hithe . . .

"Arwen dyn mla'n . . . 'I neud e'n gocwyllt . . . Cynnig dim yn 'diwedd . . ."

Ma'n nhw'n cofleidio . . .

"Ma 'na enw ar fenwod fel chi, chi'n gwbod . . ."

Ma'n nhw'n cusanu . . .

Y BITSH DINBOETH! YR HWREN!

Ma pawb yn ddistaw. Ma pawb yn llonydd fel delwe marmor. Ma'n nhw'n edrych ar 'i gilydd, cyn syllu ar y fenyw yn y drych. Ma hithe'n 'u llygadu. Ma hi'n 'u clywed nhw'n sibrwd. Ma hi'n gwbod beth ma'n nhw'n ddweud.

"Gwraig Ieu, wyddoch chi . . ."

"O'n i'n ama bod rhywbeth yn od ynddi gynna . . ."

"Piti garw . . . Mae o'n cael traffarth ers misoedd, meddan nhw . . ."

Amdani hi ma'n nhw'n siarad. Arni hi ma'n nhw'n rhythu. A hithe'n wdihŵ farmor mewn drych . . .

Llond y lle o Wynebe Cyfarwydd yn llygadrythu arni hi, cyn winco ar 'i gilydd, cilwenu ar 'i gilydd, a siarad yn 'i chefen. Pob un, ond hi, â'i fwgwd cyhoeddus; pob un, ond hi, â'i stori barod.

A phawb yn edrych arni yn y drych . . .

Ond arhoswch funud—pwy yw hwn? Pwy yw hwn sy'n brasgamu i'r adwy? Pwy yw hwn sy'n llamu drwy'r dorf? Does dim isie gofyn! Does dim isie poeni dim mwy!

Dal d'afael yn sownd, yr hen gwdihŵ fach, ma d'arwr wedi cyrraedd. Fe ddaeth Action Man i d'achub di unwaith 'to. Fydd dim gofid 'da ti nawr.

Hwrê i Action Man a'i ffrindie!

Daliwn Ddwylo'n Gilydd

Pam fy mod i yma, yn y tymor oer hwn, a 'nghalon i'n hesb?

Meg Elis — Cyn Daw'r Gaeaf

Nos Wener, Ionawr 14, 1983.

Annwyl John,

'Ma ddachre da. Ma batri'r fflashlamp yn fflat. Do, fe 'nest ti'n atgoffa i, a naddo, threies i mohoni cyn gadael. Drato, mae'i gole hi mor wan, prin wy'n galler gweld beth wy'n sgrifennu. Ond fe addawes i hala gair bob dydd, a 'ma neud y gore galla i, er bo' Luned wrthi'n tynnu co's yn ddidrugaredd fan hyn.

"O 'na neis," medde hi gynne, "ŷch chi'ch dou'n ffaelu byw am nosweth heb 'ych gily'. Yn gwmws fel Bryn a fi!"

Ges i waith dala 'nhafod . . .

Siwrne flinedig o'dd hi, yn enwedig ar ôl i ni golli'n ffordd. Fi o'dd yn meddwl y bydde hi'n neis gadael yr M4 a chrwydro tipyn drw'r wlad a mwynhau'r golygfeydd. Ond o'dd 'na ormod o niwl i weld dim byd. Fe arhoson ni i ga'l cin'o yn y Coach and Horses yn Marlborough— 'yn ffling ola ni am wthnos. O'dd e'n neis iawn 'fyd— *lasagne* llysieuol, tato rhost, madarch mewn hufen a mêl, a *lemon meringue* i bwdin. Cofia, pacyn o Munchies gelon ni i swper. O'dd y merched wedi cynnig peth o'u cawl i ni, whare teg, ond chymeron ni ddim gan taw prin ddigon o'dd 'na i fynd rownd. Fe ofalon ni dynnu dou far o Kit-Kat mas o'r bocs nwydde cyn 'i roi e iddyn nhw, wedyn starfwn ni ddim o hyn tan bore fory!

'Na ti letwhith deimlon ni wrth gyflwyno'r bocs iddyn nhw. Ar ôl i ni'u galw nhw i gyd draw at y car er mwyn neud pethe'n deidi, dim ond dwy ddoth, Kate a Julia. Ond fe ddachreuodd Luned ar 'i hareth, a neud jobyn bach teidi fel arfer—wel, o'dd hi 'di bod yn practeiso bob cam o Bont Abram i Bont Hafren! Fe wedodd hi taw'r bobol gatre o'dd 'di cyfrannu'r cwbwl, y bwyd i gyd a'r arian, a bo' dros gant 'di arwyddo'r ddeiseb i ddangos 'u cefnogaeth. Jawch, pan o'dd hi ar ganol 'i pherorasiwn, 'ma Julia'n gweud "*Thanks*" yn ffrwt, cyn gafel yn y bocs a'i gario fe'n ddiseremoni draw at y lleill. Wel, fe dynnodd hynny'r gwynt o'n hwylie ni braidd, ond dychmyga shwt o'n i'n teimlo pan ofynnodd Kate beth o'dd 'da ni yn y bocs arall! (Yn hwnnw o'dd y Johnny Walker a'r gacen ffenest a'r After Eights a phethe.) Pan wedon ni taw'n stwff *ni* o'dd yn hwnnw, 'i hateb hi cyn cer'ed bant yn swta o'dd: "*We believe in sharing all we have.*"

Fe edrychon ni ar 'yn gilydd a neud 'yn penderfyniad. 'Mhen hanner munud o'n i'n carto'r hen focs draw atyn nhw—ar ôl achub yr hen Johnny'n gynta!

Ma fe'n rhoi lot o gysur i ni heno, whare teg 'ddo fe, gan bo' hi mor uffernol o o'r. Ond ŷn ni'n go'ffod 'i yfed e'n strêt, achos ti'n gwbod beth arall anghofion ni? Y whilber ddŵr. Fi o'dd ar fai am beido â'i thynnu hi mas o'r garafán neithwr. Tr'eni, achos ma hi shwt un fach handi. Cofia, ma Luned yn ddigon balch bod hebddi—fydde'n gas 'da hi 'i hwpo hi rownd fel 'sen ni ar faes carafane'r Steddfod, medde hi.

Beth bynnag, ma'r tap dŵr sy 'da nhw wedi rhewi. Gwely heb folchi fydd hi heno, sbo—a ti'n gwbod shwt odw i'n casáu neud 'ny! Sdim ots, digon o dalc L'Aimant a fe gadwa i'n ffresh tan fory!

A' i ddim i fanylu am 'u tŷ-bach nhw, dim ond gweud

taw hwnnw yw'r un mwya cyhoeddus weles i erio'd. Ma popeth sy yndo fe wedi rhewi'n gorn . . .

Er gwaetha'r holl bracteiso 'nelon ni ar y lawnt gefen, fe a'th hi'n dipyn o shambls wrth dreial codi'r babell. Y tir wedi rhewi o'dd yn ca'l y bai, a'r ffaith 'yn bod ni'n ffaelu'n lân â ffindo'r mwrthw'l. (Pam nag o'dd e miwn yn 'bocs-tŵls, gwed?) O'dd y pegie'n plygu ac yn torri wrth i ni dreial 'u bwrw nhw miwn â charreg. Un ateb yw dod yn yr haf y tro nesa!

"Ymhen hir a hwyr", chwedl Mr Williams Gweinidog, o'dd y babell ar 'i thra'd, a ninne'n 'yn llongyfarch 'yn hunen wrth gario'r sache cysgu o'r car yn dalog. Ond pwy redodd aton ni'n ofid i gyd ond merch o'r enw Sandy, ac o'dd hi'n grac, yn grac iawn 'fyd, a ninne, medde hi, 'di codi'r babell yn 'i chefen hi a hynny ddim ond llathen 'wrth 'i chartre hi. O'dd hi'n ffaelu dyall pam bo' raid i ni ddod mor agos, a milltiro'dd o gomin 'da ni. Weles i neb mor grac â hi erio'd. O'dd hi'n gweiddi arnon ni nes bo'i hwyneb hi mor goch â'i gwallt, a'i neges hi'n syml iawn o'dd 'i bod hi'n rhoi cwarter awr i ni i symud.

A'th hi draw at y merched o'dd wrth y tân a dachre taranu yn erbyn pobol sy'n dod i Greenham am gyfnode byr ac sy, medde hi, yn credu y gallan nhw neud fel mynnan nhw, a hithe a'i thebyg yn byw 'ma drw'r amser. Wedyn, fe frasgamodd hi'n ffrom at 'i phabell a chau'r zip yn 'i natur.

"Ma hon yn lico'i thŷ *detached,*" o'dd sylw Luned wrth i ni fustachu gyda'r pegie cam. Os gelon ni ffwdan wrth 'u bwrw nhw miwn, o'dd treial 'u tynnu nhw mas yn bantomeim! Ac o'n ni'n teimlo shwt ffylied.

"Ddyle bo' c'wilydd arnon ni," mynte Luned wedyn, "a ninne 'di bod shwt aelode ffyddlon o'r Urdd!"

Wherthin o'n ni'n dwy er gwaetha'r ffwdan. Ond o'dd rhywbeth yn 'y mecso i. Wy'n credu taw agwedd Sandy o'dd wedi'n atgoffa i o'r tro ddoth llond bỳs Blossom 'ma ar gyfer protest fowr y Pasg—llynedd, ti'n cofio, pan fentrodd dou neu dri o ddynion 'da ni hefyd?

"*Here comes a coachload of suburban housewives,*" o'dd y croeso gelon ni, a'r hen Gledwyn Morris yn ca'l poerad a "*Go home, woman-killer*" yn 'i wyneb, druan bach. Sdim rhyfedd iddo fe gil'o nôl i'r bỳs i fyta'i gin'o, a chwato fan'ny weddill y prynhawn.

Ma'r babell, ar ôl lot o ffys a ffwdan, yn sefyll ar 'i thir 'i hunan, a phellter parchus rhyngddi hi a'i chymdoges agosa . . .

Fe benderfynon ni gysgu yn 'yn dillad, er i finne dynnu 'mra yn seremonïol iawn!

"O'r tair menyw ar ddeg sy'n cysgu yn y lle 'ma heno," medde Luned wrth 'y ngweld i'n stwffo'r Cross-Your-Heart o dan y gobennydd, "synnen i damed taw ti yw'r unig un sy'n gwishgo bra."

Synnen inne damed 'i bod hi'n iawn.

O John, wy mor falch 'yn bod ni wedi dod. Ŷn ni'n dwy'n edrych mla'n at fory i ga'l gweld shwt le sy 'ma. Ŷn ni'n gobeitho y gallwn ni fod o ryw help—a ma hi'n un ffordd fach o neud cyfraniad at heddwch yn yr hen fyd 'ma.

Ma'r gole jyst â diffodd, a Luned yn cysgu'n sownd.

Rho gusan fach i Rhodri drosta i. Wy'n meddwl amdanoch chi'ch dou.

Nos da, a chariad mawr,

Meirwen.

O.N. Fe fydd hi'n anodd cysgu hebddot ti—am y tro cynta ers geni Rhodri . . . A jawch, ma 'nhra'd i'n o'r!

★

9.30. Nos Sadwrn.

Annwyl John,

O'dd hi'n neis clywed 'ych lleisie chi'ch dou gynne, a gwbod 'ych bod chi'n iawn ar y tywydd o'r 'ma. Ma hi 'di bod yn annioddefol 'ma drw'r dydd, a ma pawb call wedi penderfynu mynd i'r gwely'n gynnar er mwyn treial cadw'n dwym. Dwy neu dair sy'n dala i ishte wrth y tân. Ma 'na ambell bluen eira go fowr wedi dachre cwmpo. Shwt fydd hi 'ma erbyn y bore, sgwn i?

Ma Luned yn cysgu ers awr. Ma hi'n lwcus 'i bod hi'n galler diffodd fel cannw'll pryd mynnith hi. Fel 'ny ma hi 'di bod erio'd. Ti'n cofio pan groeson ni o Roscoff ganol nos llynedd, a hithe'n cysgu'n sownd tra bo' pawb arall yn hwdu'n stecs? A ti'n cofio'r hen barti Dwynwen diflas 'ny gath hi a Bryn? Hithe'n hwrnu'i hochor hi, a'r hen Bryn yn danto wrth dreial 'i dihuno hi? A phawb yn wherthin am 'i ben e . . .

Gyda llaw, ffaeles i ga'l perswâd arni i roi caniad iddo fe gynne. Os gweli di fe, cofia weud 'tho fe 'i bod hi'n fyw ac yn iach . . .

Fe ddihunon ni'n dwy 'da'r wawr bore 'ma. Wel, Luned ddihunodd fi a gweud y gwir, a fe ges i ofan 'i bod hi'n mynd i ddachre ar 'i haerobics. Ond o'dd raid iddi gyfadde'i bod hi braidd yn gyfyng arni yn y babell, ac o'dd whant arni fynd am lonc fach yn lle 'ny medde hi. Ond pan agorodd hi'r zip a phipo mas fe gath hi dipyn o sioc achos o'dd pobman yn wyn gan lwydrew. Ond ti'n nabod Luned lawn cystal ag odw i. Sdim troi arni unweth y penderfynith hi, a mas â hi, yn gwmws fel y boi 'na gerddodd mas i'r eira er mwyn achub Scott a'i griw yn yr Antarctig. O'dd hi nôl mewn pum munud, yn wene i gyd.

"Wel, o leia fe ges i gyfle i fynd i'r tŷ-bach," medde hi wrth roi naid nôl i'w sach a chwtsho lan i gysgu 'to.

O'dd hi'n ganol bore pan ddihunon ni am yr eildro, a mynd draw at y tân yn strêt, lle'r o'dd 'na botyn mowr o goffi cryf, a phawb i helpu'i hunan.

Cyn hir, 'ma'r car 'ma'n arafu a'r pedwar llabwst o'dd ynddo fe'n dachre gweiddi pethe coch. 'Ma'r menwod yn dachre gweiddi pethe cochach nôl yn strêt nes o'dd y cwbwl yn tasgu rownd i ni.

"Fydde Mrs Jones Tŷ Capel ddim yn lico hyn," medde Luned dan 'i hana'l, cyn dachre gweiddi nerth 'i phen 'da'r lleill, a finne'n grondo.

Y dynion flinodd gynta ar y gêm, a phenderfynu codi dou fys arnon ni a sgathru bant ar ras wyllt, a "Hwrê" fowr y menwod yn eco yn 'u clustie.

Y postmon ddoth nesa, a thowlu sacheidi o lythyre a pharseli ryw ganllath o'r lle o'n ni'n ishte. *"Post, ladies,"* mynte fe'n sbeitlyd, cyn 'i baglu hi nôl i ddiogelwch 'i fan fel 'se haint arnon ni.

'Set ti'n gweld y pethe o'dd yn y parseli—menyg, sane, sgarffe, poteli dŵr poeth . . . O'dd croeso i bob menyw gymryd yn ôl 'i hangen. O'dd ambell un yn eitha llwythog yn mynd nôl i'w phabell, alla i weud 'thot ti . . .

A'r holl arian o'dd yn y llythyre . . . Gredet ti ddim. A'r cwbwl yn ca'l 'i dowlu i hen garier-bag Harrods!

O'dd 'na gin'o derbyniol o gawl tato a moron. Jane—hi sy'n byw 'da Sandy—o'dd wedi'i baratoi e. Fuodd hi wrthi am orie yn pilo sached fowr o lysie, ond o'dd hi'n edrych yn ddigon hapus.

"Someone has to do it," mynte hi a gwên ar 'i hwyneb. Ond o'dd 'i dwylo hi'n rhyche duon, caled i gyd. A fe sylwes i taw hi o'dd yr unig un o'dd yn golchi'r llestri wedyn . . .

O'dd ambell un yn awyddus i fynd miwn i Newbury yn y prynhawn, a fe ethon ni â nhw yn y Folfo. Tra o'n nhw i gyd yn y post a'r *launderette* a'r D.H.S.S. fe a'th Luned a fi i ga'l dishgled o de i'r Oak Tree Cafe. O'dd 'na ddwy fenyw *blue-rinse* wrth y ford nesa, a stopon nhw ddim clochdar yn erbyn *"those dreadful Greenham women"*. Wel, os do fe. Fe gododd Luned ar 'i thra'd a dachre gweiddi arnyn nhw i gau'u cege. Fe gath 'i thowlu mas yn strêt—y boi o'dd bia'r lle a dwy o'dd yn gweitho 'na yn cydio yndi a'i llusgo hi mas ar y pafin. O'n i'n meddwl 'u bod nhw'n mynd i ddachre arna *i,* ond fe dales i am y *pot of tea for two* ar hast a rhedeg mas at Luned cyn iddyn nhw ga'l cyfle. O'n ni'n dwy'n crynu'n ofnadw—finne gan ofan a Luned yn 'i natur. Ges i waith 'i hatal hi rhag mynd nôl 'to. Ond fe dawelodd hi yn 'diwedd, diolch byth, neu sdim syniad 'da fi beth fydde hi—na finne—'di neud nesa. O'n i'n falch ohoni, cofia . . .

Fe brynon ni focs mowr o *Milk Tray* ar y ffor' nôl a'i roi e i'r menwod rownd y tân. *"And all because the ladies love Milk Tray,"* medde Kate yn smala.

Ddechreuon ni ganu wedyn, a Luned fel arfer yn tynnu 'ngho's i.

"Tr'eni i ti beido dod â dy delyn, ontefe," mynte hi wrth glywed ambell lais go fflat. "'Na fe, sdim isie i ti ddangos dy hunan, o's e," mynte hi wedyn pan ddachreues i ganu alto, "dim 'da Merched y Meillion wyt ti nawr."

A hithe'r bitsh fach yn ca'l 'i bedyddio'n Linnet am fod 'i llais hi mor swynol, myn diawch i! Ond 'na fe, Luned yw Luned . . .

Wy newydd bipo mas o'r babell. Ma hi'n plufio'n o drwm erbyn hyn ac yn o'r ddychrynllyd. Ma diferyn o'r Johnny Walker wedi neud byd o les . . .

Edrychwch ar ôl 'ych hunen. A swsus mowr, mowr i Rhodri . . . A ti . . .

Cariad, Meirwen.

Y Glwyd Werdd.
Prynhawn Sul.

Annwyl John,

"Jawch, ma hi fel Siberia mas 'na," o'dd y geirie cynta glywes i'r bore 'ma. Luned o'dd â'i phen mas drw'r zip yn rhoi sylwebeth o'r hyn o'dd hi'n weld.

"Dwyrnod grêt i sgio," mynte hi wedyn. "Sdim isie gwell. 'Na biti, a chithe newydd dalu drw'ch trwyne am y trip 'na i Chamonix fis nesa."

Ma hi'n gês, ma'n rhaid cyfadde. Ond wy'n lwcus bo' fi'n 'i nabod hi gystal!

Fe ges i folchi, a glanhau 'nannedd o'r diwedd—y tro cynta ers tridie. Ma eira'n neud byd o les i'r cro'n medden nhw!

O'dd y pebyll a'r *benders* o'r golwg i gyd. Fe glir'on ni lwybyr â'n dwylo er mwyn cyrra'dd y Folfo i moyn y rhaw. Diolch amdani, a finne wedi dy wffto shwt gymint am fynnu'i chario yn y bŵt!

O'dd rhai o'r menwod, fel Sandy a Jane, isie llonydd i gysgu drw'r dydd. Nhw o'dd galla, achos o'dd hi mor ddychrynllyd o o'r o'dd bysedd 'yn dwylo a'n tra'd yn llosgi, a'n gwefuse ni'n dost er bod 'yn sgarffe ni'n cwato'n hwynebe ni i gyd. O'n ni'n gwmws fel y menwod 'na yn India a dim ond 'yn llyged ni'n pipo mas.

O'dd 'na drwch go ddwfwn, a hwnnw'n rhewi, ac o'dd pawb am y gore'n ishte ar ben tân, ac yn whilo am bethe dan yr eira—co'd tân, potie coffi a smôcs . . . (Atgoffa fi i weud stori Luned a'r *hashish* 'thot ti.)

Fe benderfynon ni'n dwy fynd am wâc i gadw'n gynnes. O'dd hi'n anodd cerdded heb gwmpo ond yn werth yr ymdrech. Do'dd Chamonix ddim yndi—ddim hyd yn o'd y Mer du Glace! Fe dynnes i gwpwl o *slides* i chi ga'l gweld drosoch 'ych hunen.

"Ddaw'r rheina'n handi ar gyfer Merched y Wawr," medde Luned, "a fe 'na'n nhw gardie Nadolig grêt. 'Cyfarchion y Tymor o Greenham' myn yffach i!"

"Ti'n hen ddigon o garden dy hunan," wedes i 'thi, a thowlu pêl eira ati. A fan'ny fuon ni'n whare fel plant ac yn gweiddi a sgrechen dros y lle. Wrth gwrs, o'dd raid i Luned fynd dros ben llestri a dachre rowlo rownd a rownd nes o'dd hi'n blastar o eira.

"Ti fel dyn eira ar ger'ed," wedes i 'thi.

"Menyw eira ti'n feddwl, y dwpsen," wedodd hithe, cyn dachre 'mhelto i 'to.

Wy'n dala i synnu shwt ma hi'n galler ymddangos mor hapus, a shwt gymint o bethe ar 'i meddwl hi.

Fe gerddon ni mla'n am sbel nes dod at y Glwyd Werdd, a fan'ny, fel y gweli, odw i nawr. Rhyw hanner dwsin o fenwod sy 'ma, ac un plentyn, Lizzie, sy'r un oedran i'r mis â Rhodri. 'Na damed fach yw hi, a ma pawb yn dwli arni, wrth gwrs. Hi a fi sy 'ma ar hyn o bryd yn gwarchod y tân tra bo'r lleill i gyd 'di mynd i gasglu co'd. Ma'u lleisie nhw i'w clywed yn glir o'r cwm. Ond fel arall ma hi'n dawel 'ma. Ambell glwstwr o eira'n cwmpo bob hyn a hyn o'r co'd pîn . . . A Lizzie'n hymian yn hapus wrth neud 'i jig-so . . .

Fe fydd hi'n dachre tywyllu cyn hir. Gobeitho'u bo' nhw ar 'u ffordd nôl . . .

Aros funud, ma Lizzie isie i fi weud stori 'thi . . .

10 o'r gloch.

Wy nôl yn saff yn y babell. Ar 'y mhen 'yn hunan odw i gan bo' Luned yn dala i ishte wrth y tân 'da'r lleill. Wy'n galler 'u clywed nhw'n wherthin ac yn canu—effeth y Johnny Walker, siwr o fod. Fe gytunon ni rannu beth o'dd ar ôl. Wel, Luned o'dd yn teimlo taw 'na'r peth lleia allen ni neud . . .

Ffaeles i gwpla hwn prynhawn 'ma. O'dd raid i ni ddachre'n ffordd nôl o'r Glwyd Werdd cyn 'ddi dywyllu'n llwyr. A wedyn fe fues i'n helpu Jane i baratoi swper.

"*No-one else bothers,*" medde hi.

Sda fi gynnig i rywun yn cymryd mantes o neb . . .

Sdim lot mwy 'da fi i weud heno, dim ond bo' fi'n teimlo bach yn fflat ar ôl beth ddigwyddodd heddi. Gweud stori'r dywysoges-hir-'i-chwsg wrth Lizzie o'n i. Do'dd hi ddim wedi'i chlywed hi o'r bla'n, a phan gyrhaeddodd Beth, 'i mam hi, nôl, a finne'n sôn am y tywysog hardd a'i gusan hud, fe ges i'r pryd o dafod mwya ges i yn 'y myw. "*Sexist propaganda*" a "*male-orientated tripe*" o'dd chwedle fel hyn, medde hi, a do'dd dim hawl 'da fi i lygru meddwl Lizzie â'r fath sbwriel. Wedes i ddim byd. O'dd y peth mor ddierth i fi—stori fach ddiniwed o'dd pob plentyn yn gyfarwydd â hi, am wn i . . . Ond fi sy'n rong, ma'n amlwg . . .

O'dd Lizzie wedi gweud rhywbeth yn gynharach o'dd wedi 'mwrw i'n rhacs jibidêrs. Tr'eni taw crwt bach yw Rhodri, medde hi. A ti'n gwbod pam? Am na allith e fyth â dod i fyw 'ma ati hi.

"*It's such a pity he's a boy,*" medde hi . . .

O John, wy'n 'i golli fe'n ofnadw heno. Wy'n dy golli di . . .

Nos da, 'nghariadon i,

Meirwen.

Swyddfa'r Post,
Newbury.
4.30. Dydd Llun.

Annwyl John,

Nodyn ar hast gwyllt fydd hwn. Wy'n gobeitho dala'r post pump er mwyn neud yn siwr bo' ti'n ca'l llythyr ddo' a hwn 'da'i gilydd fory.

Ŷn ni'n dala ar dir y byw, ond dim ond jyst gan bo'r eira 'di dachre dadleth, a ma'r cwbwl yn stecs. Fues i'n galifanto yn y Folfo drw'r prynhawn—tair o'r menwod isie neud ambell neges, a finne'n falch ca'l helpu. (Ond ma arna i ofan bo' golwg ar y carpedi!)

O'n nhw isie mynd i Sylvia's, a chan bo' fi 'di clywed shwt gymint am y lle, fe gyniges i fynd â nhw. Fan'ny ma'n nhw'n mynd i fatho a golchi'u gwalltie, ti'n dyall, a ma Sylvia, pwy bynnag yw hi, wedi rhoi rhyddid 'i thŷ iddyn nhw neud fel mynnan nhw.

Rhyngot ti a fi, 'na'n gwmws beth ma'n nhw'n neud. Tŷ bach digon neis yng nghanol rhes yw e, a bathrwm lan lofft a chegin fach bert. Ond John bach, 'set ti'n gweld yr olwg sy ar y lle. Welintons brwnt wedi'u towlu ar lawr, dillad sopen dros y celfi, y carpedi'n fwd i gyd, a llond y sinc o lestri. A'r bath . . . 'Set ti'n gweld hwnnw 'te . . .

Do'dd dim sôn am Sylvia. Fe geith hi—a'i gŵr—sioc nes 'u bo' nhw'n whilo'u hunen pan welan nhw'r lle.

Sdim golwg o Luned 'di bod drw'r dydd. A'th hi mas o'r babell cyn 'ddi wawrio gan weud 'i bod hi isie mynd am wâc. Do'dd dim sôn amdani erbyn amser cin'o pan adawes i. 'Na fe, fydd hi nôl erbyn hyn yn llawn storis, siwr o fod.

Licen i slipo miwn i Marks tra bo' cyfle 'da fi i whilo presant bach i Rhodri. Ond wir i ti, ma cymint o olwg arna i, fe fydde pobol yn siarad! Fe bryna i rywbeth 'ddo fe yn un o'r llefydd 'na ar y draffordd ddydd Gwener. Fe feddylies i hefyd godi'r ffôn i ga'l gair 'da chi, ond gofies 'ych bo' chi'n mynd i dŷ Mam-gu yn strêt o'r ysgol. Fe ga i gyfle fory rywbryd. Licen i glywed 'ych lleisie chi.

Edrychwch ar ôl 'ych hunen. Cofia ofalu bo' Rhodri'n gwisgo'i gap!

Cariad atoch chi'ch dou,

Meirwen.

O.N. Wy jyst â marw isie'ch gweld chi ddydd Gwener.

Canol nos. Nos Fawrth.

Annwyl John,

Awr fach sy 'na 'ddar i ni siarad ar y ffôn, ond ma'n rhaid i fi sgrifennu gan bo' fi'n teimlo mor ishel a mor uffernol o bell 'thot ti. Wy'n becso bo' fi 'di torri lawr gynne. Ddoth rhyw bwl drosta i wrth dreial gweud yr hanes i gyd. Ond wy'n well erbyn hyn, wir.

Ma Luned yn cysgu fel 'se dim wedi digwydd. Alla i mo'i dyall hi, wir. Man a man i fi weud 'ny'n blaen, yn gwmws fel y gwedes i 'thi gynne. Shwt yn y byd ma hi'n galler bod mor jocôs ar ôl beth ddigwyddodd? Chysga *i* ddim am orie! A fory wedyn, fe fydd hi fel deryn ymbytu'r lle 'ma. (Wedes i taw Linnet ma'n nhw'n 'i galw hi?)

Cofia, o'n i'n 'i hedmygu hi yn y llys. Cŵl? Paid siarad! Yn hollol wahanol i Sandy a Kate, o'dd mor danllyd. Ti'n gwbod iddi lwyddo i neud i'r ynadon wenu? Ac o'dd ambell blismon bach yn 'i ddwble. Ma'r ddawn 'da hi i droi'r bobol ryfedda rownd 'i bys bach, gan 'y nghynnwys i—fel ti'n gwbod yn iawn.

A'th hi'n grac â fi gynne, cofia, a dim whare. 'Na'r tro cynta erio'd i ni'n dwy ga'l gair cro's. Y cwbwl ofynnes i o'dd pam yn y byd nag o'dd hi 'di sôn 'tho i beth oedden nhw'u tair yn fwriadu'i neud. A ti'n gwbod beth wedodd hi? "Achos na fyddet ti byth 'di dyall."

Wel, fe deimles i'n ofnadw, achos pwy ond fi sy 'di treial dyall ers misho'dd yr holl fusnes 'na rhyngddi hi a Bryn? Os o'n i'n ddigon da bryd 'ny, myn yffach i . . . Ond wedes i ddim. Ac o'dd hi'n ymddiheuro 'mhen dwy funud, whare teg iddi. A fe gath hithe faddeuant wrth gwrs. Luned yw Luned, wedi'r cwbwl . . .

Wy'n falch bo' ti 'di ca'l gair 'da'r hen Bryn. Wedes i 'thi bo' ti 'di neud. Wherthin a gweud "whare teg 'ddo fe" 'nath hi, a wedyn wherthin 'to pan awgrymes i y dyle hithe godi'r ffôn jyst i weud 'tho fe'i bod hi'n iawn.

"Twt, ma fe'n gwbod bo' fi'n galler gofalu am 'yn hunan," mynte hi.

Fe ddylen i fod wedi rhag-weld hyn, ti'n gwbod. O'dd hi o bawb yn bownd o fynd dros y top. O'dd hi siwr o fod 'di bwriadu neud beth 'nath hi o'r dachre. Ond ddychmyges i ddim, naddo wir . . .

Y peth gwaetha i gyd o'dd sefyllian yn yr oerfel drw'r nos, yn crefu am unrhyw wybodeth, yn begian arnyn nhw i weud rhywbeth wrthon ni, a neb yn gweud dim. O, John, o'n i'n becso amdani . . .

'Na fe, ma hi nôl yn saff fan hyn nawr, a finne'n ffaelu cysgu gan bo' fi'n becso shwt gymint. Sdim bwriad 'da hi i dalu'r ddirwy, ti'n gwbod. Wedodd hi gynne y bydde'n well 'da hi fynd i garchar na neud 'ny. Ond 'na fe, sdim isie mynd o fla'n gofid . . .

Gyda llaw, ma hi'n diolch am fenthyg y *pliers* ac yn cynnig prynu pâr newydd i ti'n bresant pen-blwydd gan na weli di nhw byth 'to!

Ma hi'n haden, on'd yw hi . . .

Ma gole'r fflashlamp yn ishel 'to gan bo' rhywun wedi'i gadel hi mla'n drw'r dydd . . .

O John bach, 'ma ddwyrnod . . .

Un ar ddeg. Bore Mercher.

Annwyl John,

Fe stopes i sgrifennu neithwr gan bo' fi'n teimlo mor ishel. Ma'n rhaid bo' fi 'di cwmpo i gysgu'n sydyn, achos pan ddihunes i ar ôl dwyawr o'dd popeth fel y fagddu. O'dd 'y mhen i ar hollti ac o'n i'n gryndod i gyd. Orweddes i fan'ny am orie'n whare meddylie a threial mynd nôl i gysgu bob hyn a hyn. Ond chysges i'm winc. O'dd y cwbwl yn tindroi yn 'y mhen i'n un cawdel—ti'n gwbod shwt ma popeth yn wa'th berfedd nos.

Ma hi'n anodd esbonio i ti nawr, ar bapur, a hithe'n ole dydd, shwt o'n i'n teimlo yn yr orie mân. O'dd popeth yn 'yn llethu i, popeth yn ddu, a'r hireth a'r unigrwydd yn annioddefol. Er bo' Luned wrth 'yn ochor i, o'dd hi'n bell, bell ac o'n i'n teimlo na fydden ni'n dwy'n agosáu at 'yn gilydd byth 'to.

Ma'r hireth 'ma o hyd, yn 'y myta i'n fyw. Alla i'm help, fel 'na odw i, a newida i'm byth. Fel 'na fues i erio'd, erbyn meddwl. Go'ffod iddyn nhw hala am Dad i ddod i'n nôl i sha thre o Langrannog pan o'n i'n ddeuddeg o'd . . .

Y gwir yw bo'r lle 'ma 'di mynd yn fwrn arna i. Alla i ddim cwato'r peth eiliad yn fwy, a ma'r teimlad yn wa'th bore 'ma nag o'dd e neithwr hyd yn o'd. Yr esgus lleia a fe fydda i'n llefen y glaw . . .

Damo, ma hi'n ddigon hawdd i Luned fod fel ma hi . . . Na, wy'n annheg nawr—a finne'n gwbod yn gwmws beth sy'n 'i blino hi, er nag yw hi'n fo'lon cyfadde 'ny, wrth gwrs. Sneb 'da hi, John, 'na'i phroblem hi. Sneb 'da hi, a hithe'n ddi-blant ac yn briod mewn enw'n unig . . .

Na, sneb 'da hi yn y byd—ond Bryn. A fel gwedodd hi fwy nag unweth, "So fe'n cownto, ody fe?"

Beth ddaw ohoni, John? Wy'n teimlo'n gyfrifol amdani er taw'r peth d'wetha 'nele hi fydde grondo arna *i*. Ond fi sy'n gwbod mor unig ma hi; fi sy wedi'i gweld hi a'i chlywed hi'n torri'i chalon yn ara bach ers misho'dd; fi sy'n gwbod shwt actores dda yw hi mewn cwmni. A wy'n becso amdani . . .

Beth ddoth dros 'y mhen i i ddod i'r hen le 'ma o gwbwl? Ma'r cwbwl mor ddierth, mor estron, mor o'r . . . Shwt yn y byd y gallith rhywun fel fi deimlo'n gartrefol 'ma? Sa i'n actores . . .

Beth ddiawl odw i'n neud 'ma? Weda i 'thot ti. Treial neud strocen, 'na i gyd. Treial profi cwpwl o bethe i fi'n hunan a thynnu sylw yr un pryd. *Suburban housewife* fach â'i chydwybod yn glir odw i nawr . . .

Cofia, fydda i'n fishi tu hwnt o hyn mla'n yn sgrifennu i'r *Faner* a'r *Wawr* ac yn annerch cyfarfodydd y Blaid a C.N.D. Fe fydd galw mowr amdana i ar raglen Vaughan Hughes a'r *Byd ar Bedwar*. O, fe dwylla i nhw bo' fi'n un o "Ferched Greenham", a 'na lwcus y byddan nhw bo' fi'n galler siarad Cymrâg da. A 'se 'mond rhyw bripsyn bach o ddawn sgrifennu 'da fi allen i ennill y Fedal Ryddiaith yn hawdd am "Ddyddiadur" neu "Atgofion" neu "Troeon yr Yrfa" neu ryw nonsens tebyg . . .

O John, ti'n dyall nawr pam bo' fi mor anhapus?

Erbyn iddi wawrio, o'n i 'di neud 'y mhenderfyniad—gweud wrth Luned bo' fi am ddachre sha thre'n strêt. A 'na'n gwmws beth 'nes i. A 'na pryd y sywleddoles i beth yw 'i bwriad hi . . .

Ma hi'n 'yn osgoi i ers orie. Pwyllgora wrth y tân ma'n nhw i gyd a threfnu'u tactege ar gyfer heno gan bo' 'na weithred go fowr ar y gweill i gefnogi'r tair. Ishte ar 'y mhen yn hunan yn y babell odw i, yn teimlo mas o bethe.

Ddaw hi ddim 'da fi heddi. Ma hynny'n bendant. Ond wy'n fo'lon cyfaddawdu, fel arfer. Saith bore fory—pry'nny y bydda i'n codi 'mhac, y babell a'r cwbwl i gyd, ac yn mynd. Os gweithredith hi heno, rhynti hi a'i phethe, ond fydda *i* ddim 'ma fory. Hi sy i benderfynu, hi sy i ddewis—dod 'da *fi,* neu aros 'da *nhw.* Ac ŷn ni'n deall 'yn gilydd yn berffeth . . .

Ond ddaw hi ddim, John. A ma hi'n mynd i fod yn anodd iawn 'i gadel hi 'ma heb ddim. A shwt alla i wynebu Bryn?

Ma'n rhaid i fi anghofio amdani. Dod sha thre atat ti a Rhodri yw'r unig beth pwysig i fi nawr. Fydda i 'da chi erbyn cin'o fory . . .

A fe adawa i'r cwbwl i Luned os bydd hi fel donci . . .

Ma Jane newydd ddod draw i ga'l gair 'da fi. Gofyn o'dd hi pryd o'n i'n bwriadu mynd sha thre ac a o'dd Luned yn mynd hefyd. Pan wedes i bo' fi'n gobeitho'i bod hi'n dod 'da fi'r peth cynta bore fory, fe edrychodd hi'n od arna i a sibrwd, *"I don't think so."* Fe ofynnes i beth o'dd hi'n feddwl, ond y cwbwl wedodd hi o'dd, *"You'd better ask Sandy,"* cyn troi bant a dagre lond 'i llyged. Ma hi 'di diflannu i'r co'd ar 'i phen 'i hunan . . .

Sdim golwg o Luned na Sandy. Ma'n rhaid i fi fynd i whilo amdanyn nhw . . .

Gwely Cariad

Os na fyddwch yn siwr o'ch partner, gwisgwch gondom . . .

Taflen Hysbysrwydd y Llywodraeth 1987

O'r diwedd, ma 'na lygedyn bach o oleuni'n treiddio trwy'r llenni. Ma sŵn ambell gar tu fas ar y stryd. Ma rhywun yn tynnu dŵr yn y fflat lan lofft.

Miwsig Radio 1 yw hwnna sy'n dod o lawr sta'r. "*No More Lonely Nights*" . . . Josh "*even my teeth are black, see*" sy'n ca'l cwmni Paul McCartney i frecwast. Ma'n siwr bo' Hywel Gwynfryn yn ca'l munud i feddwl.

A dyma finne'n ca'l un o brofiade mawr bywyd. Gorwedd mewn gwely dierth mewn fflat ddierth yn dyheu am y wawr. Dyn dierth sy'n chwyrnu wrth 'yn ochor i. Ma 'nghoes i'n sownd odano fe, ma 'ngheg i'n sych, ac ma drewdod chwys ym mhobman. Dyma wely cariad.

Y chwyrnu ddihunodd fi—neu'r gwayw yn 'y nghoes. Alla i mo'i symud hi neu ma fe'n siwr o ddihuno. A damo fe, ma'i chwyrnu e'n haws 'i ddiodde na'i sgwrs e.

Fe fuodd e'n ddigon o ddyn i'n rhybuddio i, chware teg iddo fe.

"Ma'n nhw'n deud wrtha i 'mod i'n chwyrnu, cariad."

Ddwedon nhw wrthoch chi 'ych bo' chi'n bôr, cariad? Naddo, siwr iawn. Ma'n nhw'n rhy boleit, y cachwrs. Gadael iddo fe feddwl 'i fod e'n dipyn o foi ma'n nhw, fel 'nes i neithiwr. Gadael iddo fe ddychmygu, druan bach, ac ynte heb ddim dychymyg, dim hyd yn oed wrth neud y mŵfs . . .

"Lle bach neis iawn gin i 'sti, cariad. Lle bach handi iawn . . ."

Handi iawn, cariad . . . Neithiwr wrth chwythu mwg i lygaid eiddgar. Wrth chwarae blaen bys ar wegil. Wrth gosi pen-glin . . .

"Pam na ddoi di efo fi i weld ffasiwn le neis ydi o, cariad? Chymith hi ddim dau funud i ni o fan hyn."

Pam-lai-cariad oedd hi neithiwr . . . Neithiwr, pan oedd 'da fi ddim byd gwell i' neud, dim byd o werth i' golli.

Ma Josh yn canu *"I . . . wanna wake up with yooo . . ."*

'Na pryd es i i gwato. Neithiwr, i'r bathrwm, pan ddaeth Josh lan i ymddiheuro am y sŵn.

"I loves the wild music, see. Me an' me best friend Julian 'avin a bit of a shindig like. But we're goin' out soon, down the Rainbow Club. Good fun down the Rainbow Club, see."

O't ti'n gwbod yn iawn 'mod i yno, Josh. Yn y bathrwm, yn eistedd ar ymyl y bath, yn edrych ar y blewiach sy'n hongian o'r plwg, yn rhedeg 'y mys dros y saim ar waelod y sinc, yn syllu i'r dŵr brown yn y pan . . . Yn teimlo'n dost . . .

Dychmygu'r wên 'nes i, dychmygu'r winc. Ond clywed y sbort . . .

"'E's at it again upstairs!"

A Julian a thithe'n chwerthin bob cam at 'ych enfys . . .

"Ma'r pwfftar bach 'na'n gofyn amdani, 'sti. Ma gynno fo gymint o gariadon o bob lliw a llun, dwi 'di colli cownt. Ond Julian 'di'r ffefryn ar hyn o bryd."

Neithiwr oedd hyn i gyd. Neithiwr, cyn dod i'r gwely 'ma, cyn dyfod yr orie blin, y rhai nad oedd i fi ddim diddanwch ynddyn nhw . . . Yr orie maith nad oedd 'da fi ddim diddordeb ynddyn nhw . . . Dim ond edrych ar y cloc . . .

Erbyn hyn, a hithe'n doriad gwawr, does dim ar ôl ond dyn dierth yn chwyrnu mewn gwely o chwys, Durex heb 'i agor, a gwaddol sur y botel Hirondelle. A'r chwerwder . . .

"Waeth i mi gyfadda, cariad, 'mod i'n licio genod . . . A deud y gwir wrthat ti, cariad . . ."

O, gwed ti bopeth ond y gwir. Plîs, plîs, popeth ond y gwir.

". . . mae 'na ddwy neu dair yn mynd a dod gin i ar hyn o bryd."

Mwy o fynd nag o ddod, o gofio am neithiwr, cariad.

"Ond ma'n nhw'n saff i gyd, dwi'n siwr o hynny. O ydan, fel y graig. Dwi'n gwbod 'u hanes nhw i gyd, a 'dan ni'n dallt 'yn gilydd . . . Dim strings . . ."

Dim strings, dim clyme, dim ffwdan, dim problem. Mynd a dod, dod a mynd. Sawl un ddaeth yn y gwely 'ma, sgwn i? Sawl un sy'n dod cyn mynd, yn mynd, fel fi, cyn dod? Honna adawodd 'i hôl ar y *fitted sheet* o Habitat a'i Hoil of Ulay yn y bathrwm? Honna halodd y garden bost anllad o Baris? *"Je t'adore, et ton grand coq."* Honna aeth e mas ar ben sta'r i sibrwd cyfrinache wrthi ar y ffôn?

Am ddau o'r gloch y bore, fe ddes i wely'r dieithryn a addawai imi amser da, ond na fwriadai gynnig imi fwy na'i amser sbâr.

Ymostwng i berswâd 'i wên.

Plygu dan bwysau'r gwefusau trwm a'r bysedd anghynefin.

Ildio, toddi, diferu, llifo . . .

A chyrraedd ffin ymollwng.

Ffrwydriad hallt o ebychiadau gwyllt a jôcs di-chwaeth.

"Wel, wel, a be 'di hon, cariad? Yr hen gyfaill ffyddlon mewn cyfyngder! Dwi heb weld un ers hydoedd! Ers dyddia colag, deud y gwir! Y "Bands of Hope" oeddan ni'n 'u galw nhw tu cefn i wal y festri 'stalwm . . . A'r hogia'n gneud yn siwr bod un yn saff yn 'bocad cyn mynd am scowt dros Bont 'Rabar a cha'l gafa'l ar dama'd handi yng Nghoed Helen . . . Wel! Un fach goch grand 'di hi hefyd! Sawl un o liwia'r enfys sy gin ti yn dy handbag, dwad? Ond twt, toes mo'i hangan hi nagoes, a thitha newydd addo dy fod ti'n berffaith saff . . . cariad . . ."

'Mhen hanner awr fe droth y jocer bach yn swta at y pared streips i gyfri seithliw'r enfys yn 'i natur. Chlywodd e mo Josh a Julian yn twmblo'n hapus nôl o'u clwb. Chlywodd e mohonyn nhw'n dynwared sŵn 'i chwyrnu wrth dwll y clo. Chlywodd e mo Prince na Michael Jackson yn brefu'u galar oesol, a'u sgrech soprano uchel a rhythm dwfn 'u bas yn cyrraedd 'u *crescendo* gyda'i gilydd mewn gorfoledd. Theimlodd e mo'n anesmwythyd i wrth imi droi a throsi a ffieiddio'r gwely brwnt a'r dieithryn meddw, mud.

Welodd e mo'r wawr yn torri'n boenus rhwng patrymau lês y llenni . . .

Mae e'n cyffro yn 'i gwsg Hirondelaidd—ac mae 'nghoes i'n rhydd. Pinne-bach yn saethu drwyddi wrth sefyll ar yr oilcloth oer. Ymbalfalu am 'y nillad o'r pentwr gwyllt ar lawr. Gwisgo'n barchus, saff, a chwilio am 'y mag a'r sigaréts a'r taniwr. Mynd at y drws a throi.

Gwenu . . .

Rhwygo'r papur aur a thynnu'r gondom goch dros geg yr Hirondelle, a hithe fel 'te'n tynnu'i thafod yn llawn sen ar garwr mawr y nos sy'n gorwedd gyda'r wawr yn gorff bach llipa, llonydd, yn glafoerio dros y gwely . . .

Gwenu 'to, a cha'l gafael mewn hen amlen *income-tax* a beiro.

"Rhywle, draw dros yr enfys . . . medden nhw. Diolch am bopeth, diolch am ddim . . ."

A mynd . . .

Gwynt saim brecwaste'n 'y mwrw i ar y sta'r. Josh yn codi'i botel laeth o'r trothwy, ac yn winco.

"Haia! 'E's still asleep then, is 'e? Knackered, I expect!"

Mynd at y drws . . .

"See you, love."

. . . a mas.

Cwtsho

Heno, heno, hen blant bach . . .

Alla i ddim â stopo crynu. Sdim ots beth 'na i, wy'n crynu nes bo'r gwely 'ma'n corco . . .

"Diolch byth bo' ti 'da fi'n gwmni, Pwten. Ma hi'n neis teimlo dy bwyse cynnes di ar 'y nhra'd, a gwrando arnat ti'n chwyrnu'n braf. Ond ma'n rhaid i fi gadw'n berffeth lonydd achos os symuda i fe ddihuni di a phwdu a rhedeg o 'ma a dy gwt yn yr awyr."

A 'ngadel i 'ma ar 'y mhen 'yn hunan . . .

"Whare teg i Anti Nans, ontefe? Esgus o'dd hi, ti'n gwbod—gynne, pan ddoth hi miwn i weud nos da. Esgus nag o'dd hi wedi sylwi arnat ti ar waelod y gwely, yn gwmws fel ma hi 'di neud bob nos yr wthnos 'ma. "Troi llygad ddall" alwodd Miss Bowen e yn y wers Gymrâg ddo', a John Richards yn gweud bod un 'da'i da-cu e ar ôl colli'i lygad iawn yn rhyw ryfel. Ma lot o bobol yn troi llygad ddall ar bethe, medde Miss Bowen.

"Pam ballodd Anti Nans weud stori, ti'n meddwl? A finne'n erfyn arni i weud yr un amdani hi a Mam yn blant bach yn dwgyd pys o'r ardd ac yn ca'l po'n cylla, a Mam-gu'n 'u hala nhw i'r gwely'n gynnar. Do'dd dim calon 'da hi i weud y stori 'na heno, nac unrhyw stori arall, medde hi."

Dim heno . . .

"'Na ti wampyn o gusan fowr ges i 'da hi cyn 'ddi fynd! Ma'n siwr bod ôl y lipstic 'na o hyd. Pan roth hi 'i breichie amdana i a 'nghwtsho i'n dynn, dynn, o'n i'n ffaelu ca'l 'yn ana'l.

"O'n i'n lico gwynt 'i sent hi. Addawodd hi roi diferyn bach tu ôl i 'nghlust i pan fydda i'n galw heibo ar ôl ysgol fory. A ŷn ni'n mynd i neud pice-ar-y-ma'n, a fi fydd yn ca'l 'u troi nhw ar 'y mhen 'yn hunan, heb help.

"O'dd 'i boche hi'n wlyb sopen pan gododd hi a mynd at y drws. Fe droth hi ata i a threial gwenu, ond llefen o'dd hi . . ."

A wedyn, o'dd hi wedi mynd . . .

Ma hi 'di mynd ers orie. Nawr ma popeth yn dywyll. Ma popeth yn dywyll ac yn o'r, a finne'n ffaelu'n lân â stopo crynu . . .

"Dere 'ma, Pwten fach, i fi ga'l dy gwtsho di a rhoi maldod i ti. Gei di ddod 'da fi dan y cwilt. Fe godwn ni hi dros 'yn penne ac esgus 'yn bod ni yn y babell fach wen draw dan y goeden 'fale."

Ma hi wastad yn dwym yn y babell, yn dwym ac yn saff, a do's neb byth yn gwbod 'ych bo' chi 'na, dim ond i chi aros yn berffeth ddistaw . . .

"'Na ti, gorwedd di'n llonydd nawr, a bihafia. Ti'n styried mor lwcus wyt ti? Allen i dy dowlu di mas o'r gwely 'ma unrhyw amser, cofia! A chic yn dy ben-ôl nes bo' ti ar dy ben yn 'rardd gelet ti wedyn, ontefe? Ond 'na i ddim shwt beth. Achos ŷn ni'n ffrinds, on'd ŷn ni? Ti a fi, yn dwym ac yn saff 'da'n gilydd . . ."

Ond alla i dim â stopo crynu . . . A wy jyst â llefen . . .

Fi yw'r un ore yn y dosbarth—o'r merched—am ddala mas heb lefen. Wy'n well na rhai o'r bechgyn hyd yn o'd. Gath e Alun Wyn sterics glân bore ddo' pan ddalodd e'i fys yn nrws toilets-merched. Y babi! Do'dd dim busnes 'da fe i fod 'na yn 'lle cynta, medde Miss Bowen. Wy *i*'n gwbod pam o'dd e 'na. Pipo ar nicyrs Lynwen Evans o'dd e. Hi o'dd 'di bod yn bosto amser whare 'i bod hi'n gwishgo rhai pinc posh a lês arnyn nhw, ac o'dd e 'di cwato tu ôl i'r drws i ga'l pip fach. Allen i fod wedi gweud 'tho fe taw wasto'i amser o'dd e. Hen nicyrs *navy-blue* hyll yn llawn tylle ma hi'n wishgo bob dydd—hen rai rhacs 'i wha'r sy yn fform-two yn Ysgol Dre. Ych—wishgen i mo'nyn nhw 'sech chi'n 'y nhalu i. Sdim rhyfedd iddi dreial twyllo'r bechgyn. Ond Alun Wyn o'dd yr unig un digon dwl i gredu'i chelwydde hi. A fe gath e'i ddala'n ffêr.

O'n i'n teimlo drosto fe wrth 'i weld e'n llefen ac yn sugno'i fys fel babi bach. Ond wherthin am 'i ben e o'dd pawb arall.

Unweth erio'd wy 'di llefen o fla'n y lleill. Amser y ffeit fowr 'na 'da Robert Stevens tu cefen i'r Uned o'dd hi. Fi o'dd yn ennill yn hawdd, a 'na pam ddachreuodd e weiddi pethe cas. Es i'n grac wedyn, mor grac nes o'n i'n ffaelu dala. O'dd e'n neud sbort am 'y mhen i am bo' fi'n ferch, ac o'dd y bechgyn i gyd yn gweiddi 'da fe, a'r merched i gyd yn gweiddi 'da fi. O'dd hi'n shambls, yn gwmws fel y restlo dwl 'na ar y bocs.

Ond teimlo'r glybanieth lawr 'y nghoese roth y ceubosh ar y cwbwl. A'th pawb fel y bedd yn sydyn. Wedyn fe bwyntodd Robert Stevens 'i fys at y pwll o'dd rhwng 'y nhra'd i a dachre wherthin 'to. Fe ddachreuodd pawb wherthin, y merched a chwbwl, a fan'ny o'n i â'n sane a'n sgidie'n stecs yn ffaelu'n lân â stopo llefen. O'n i isie rhedeg bant a mynd i gwato am byth . . .

Ma Miss Bowen wedi 'ngweld i'n llefen—yn y clôc-rwm, ar ôl i bawb fynd sha thre. Fe ddoth hi ata i ac ishte wrth 'yn ochor i a gofyn beth o'dd yn bod. Ond o'n i'n llefen shwt gymint, allen i ddim siarad. Fe roth hi 'i braich amdana i, a fe ddachreues i lefen yn wa'th. O'n i'n shiglo i gyd, ac yn tagu, yn gwmws fel o'n i pan o'dd y pas arna i a ches i ddim mynd ar y trip Ysgol Sul.

Lefes i am amser. Lefes i nes 'i bod hi'n dywyll. A thrw'r amser o'dd Miss Bowen yn 'y nghwtsho i ac o'dd 'i llaw yn gafel yn sownd yn 'yn llaw i. Roth hi facyn-poced i fi, un gwyn a rhosyn coch yn 'i gornel a'r llythyren 'C' odano fe. O'dd e'n facyn bach pert iawn.

O'r diwedd fe stopes i lefen a fe wedes i bo' fi'n teimlo'n well er bo' 'mhen i 'bytu hollti. Fuon ni'n dwy'n ishte'n dawel am sbel . . .

Wedyn fe addawodd hi na fydde hi byth yn sôn wrth neb bo' fi 'di bod yn llefen, ond fydde hi'n lico ca'l gwbod beth o'dd yn bod. O'dd hi 'di bod yn becso amdana i ers wthnose, medde hi.

Fe gymeres i ana'l mowr a chau'n llyged. O'r diwedd, o'n i'n mynd i ga'l gweud wrth rywun. Ond pan ddachreues i dreial siarad, do'dd dim yn dod. O'n i'n ffaelu'n lân â gweud dim . . .

Fe wenodd hi a gwasgu'n llaw, a gweud 'tho i am beido becso, 'i bod hi'n gwbod beth o'dd ar 'yn meddwl i, a'i bod hi'n mynd i dreial 'yn helpu i.

Edryches i'n syn arni. O'dd 'y nghalon i'n pwmpo achos o'n i'n gwbod yn iawn nag o'dd dim syniad 'da hi. *Alle* hi ddim gwbod—ac eto, falle . . . Gobeitho . . .

"Dy fam sy'n dost, ontefe," medde hi, "a ti'n becso amdani, ac yn go'ffod neud lot i helpu gatre, siwr o fod . . ."

'Na pryd y canodd y ffôn. Ges i gyfle i roi dŵr dros 'yn llyged. O'n nhw'n goch i gyd a wedi whyddo'n fowr . . .

Pan ddoth Miss Bowen nôl o'dd hi'n gwenu.

"Ffaelu deall lle wyt ti ma'n nhw. Wy 'di addo mynd â ti sha thre ar unweth."

Wy'n cofio meddwl shwt allen i fosto dranno'th bo' fi 'di bod yn y car 'da Miss Bowen. Fydde Lynwen Evans yn grac ofnadw . . .

Chyffres i ddim pan gyrhaeddon ni'r tŷ. Steddes i'n llonydd yn ffaelu tynnu'n llyged 'ddar drws-ffrynt. O'n i'n gwbod yn iawn bo' Miss Bowen yn 'yn watsho i, ond o'n i'n ffaelu'n lân â symud.

O'r diwedd, 'ma hi mas i agor y drws i fi, a rhoi'i braich amdana i cyn cerdded 'da fi lan y llwybyr.

A wedyn, fe agorodd drws-ffrynt . . .

A wedyn, o'dd e'n sefyll 'na.

Gwenu 'nath e, a phlygu ata i a rhoi'i fraich amdana i. Wedyn fe gododd e'n llaw i at 'i foch. Do'dd e ddim wedi siafo.

Yn sydyn fe sylwes i bo' Mam yn sefyll yn 'ffenest. Fe droies i a rhedeg miwn ati a thowlu 'mreiche amdani. O'n i'n falch 'i gweld hi wedi codi o'r gwely. O'n i mor falch, fe ddachreues i lefen 'to. A fan'ny o'n ni'n dwy fach, Mam a fi, yn llefen ac yn cwtsho'n gilydd.

O'dd e'n dala i siarad â Miss Bowen mas wrth y car. O'n i'n galler 'u gweld nhw drw'r ffenest, ond gweld 'u cege nhw'n symud o'n i, heb ddeall 'run gair.

Fe wenodd Miss Bowen a chodi'i llaw cyn mynd i'r car a dreifo bant.

Wedyn, fe wasgodd Mam fi'n dynn, dynn.

Wedyn fe ddoth e miwn, ac edrych yn od arnon ni.

A wedyn, fe gaeodd e'r drws . . .

'Na'r nosweth y buodd Mam a fi'n llefen drw'r nos . . .

"Lefes i ddim bore 'ma, Pwten, er bo' pawb arall yn llefen y glaw. Mam-gu, Anti Nans—o'dd *e* hyd yn o'd yn llefen, a finne 'di meddwl erio'd nag o'dd e ddim yn galler llefen, a nag o'dd dynion ddim fod llefen. Ond fan'ny o'dd e, yn neud rhyw swne bach od yn 'i wddwg, ac yn cwato'i wyneb mewn macyn mowr gwyn. Yn rŵm-ffrynt ddachreuodd e, o fla'n yr holl bobol ddierth. Lefodd e drw'r amser yn y capel a'r fynwent, ac yn y festri wedyn nes bo'i gwpan a'i soser e'n shiglo. Do'dd dim stop arno fe! Ddachreues i feddwl na fydde fe byth yn stopo, ac y bydde fe'n llefen am byth!"

Ody pobol yn galler llefen am byth? Ma'n nhw'n gweud bo' rhai pobol yn llefen pan fyddan nhw isie sylw . . .

Llefen ar 'i phen 'i hunan fydde Mam, pan o'dd hi'n credu nag o'dd neb yn clywed. Fydde hi'n cloi drws bath-rwm a llefen a llefen. Ond o'n *i*'n 'i chlywed hi. Bob nos o'n i'n 'i chlywed hi. Ond unweth y dele fe sha thre o'dd hi'n dod mas o'r bathrwm yn wene i gyd, er bod 'i llyged hi'n goch a wedi whyddo'n fowr . . .

"Wy'n galler dy glywed di'n breuddwydo, Pwten. Ca'l hunlle wyt ti? Neu o's rhwbeth yn dy fecso di, gwed? Yr hen robin goch sy'n ca'l sbort am dy ben di, falle, neu ody'r hen gwrcyn hyll 'na wedi dwgyd dy fwyd?

"Miwsig *News at Ten* yw hwnna, Pwten. Sdim lot o amser 'da ni. Cofia, falle y byddwn ni'n lwcus heno 'to. Falle 'i fod e'n cysgu; falle taw cysgu'n 'i gader 'neith e drw'r nos. Falle'r awn ni'n dwy fach lawr bore fory a fan'ny fydd e'n hwrnu yn 'i gader a'i *Sun* dros i wyneb. Falle, Pwten . . .

"Falle taw dihuno yn y bore 'nawn ni a mynd lawr sta'r 'da'n gilydd yn ddistaw bach, a fydd e ddim 'na. Falle fydd e'n cysgu'n sownd yn 'gwely a fe gawn ni Frosties 'da'n gilydd yn 'gegin gefen, a welwn ni mo'no fe. Falle y galla i fynd i'r ysgol heb 'i weld e o gwbwl . . .

"Falle, Pwten . . .

"Ond sa'i'n credu . . . Sa'i'n credu am eiliad y byddwn ni mor lwcus . . ."

Ma fe'n agor drws y cefen ac yn llusgo mas i ga'l pishad. Ma fe'n rhoi cic i'r bin ar ffor' nôl nes bo'r caead yn tasgu ac yn rowlo ar lawr. Ma fe'n rhegi. Ma'r tŷ i gyd yn shiglo wrth iddo fe gau'r drws yn glep . . .

Poteli lla'th mas ar stepyn ffrynt . . . Bollt ar drws . . . Tap bach i gloc y tywydd . . . Windo'r cloc mowr ar waelod sta'r . . . Rhoi gole'r landin mla'n . . . A ma fe'n dachre dringo . . .

"'Set ti 'mond yn ca'l aros fan hyn 'da fi, fydden ni'n dwy'n saff. 'Sen ni'n dwy 'mond yn aros yn berffeth lonydd, yn berffeth ddistaw . . . Ti a fi 'da'n gilydd, Pwten . . . Ti a fi 'da'n gilydd yn saff dan y cwilt . . . Yn dwym ac yn saff . . . Fe ofala i amdanat ti . . . Chei di'm hunlle wedyn . . ."

Ma fe'n hymian yn y bathrwm wrth siafo . . .

"Pwten, paid â cha'l ofan . . . Fe edrycha i ar dy ôl di, wedes i . . . Sdim isie i ti gyffro . . . Sdim isie i ti agor dy lyged na chodi dy glustie na shiglo bla'n dy gwt . . . Ti'n saff 'da fi . . . Paid ti â becso, cheith e ddim twtsh â ti . . .

"Fe afaela i'n sownd ynot ti . . . 'Na ti, aros di'n llonydd a gorwedd lawr . . . Chei di ddim symud . . . Aros yn llonydd, wedes i. Ma'n rhaid i ti . . . Pwten fach, paid â gwingo fel hyn . . . Aros 'da fi, paid â mynd. Plîs, Pwten, paid â mynd . . . Plîs, Pwten, paid â 'ngadel i 'ma ar 'y mhen 'yn hunan . . . Pwten, pam grafest ti fi nawr?"

Cer 'te'r hen bitsh fach.

Ma fe'n cer'ed y landin.

Ma fe'n diffodd y gole ac yn sefyll yn 'drws.

Ma pobman yn dywyll ond wy'n gallu gweld 'i wyneb.

Ma fe'n gwenu.

Ma hi'n amser cwtsho.

Pwten, pam 'nest ti 'ngadel i 'ma ar 'y mhen 'yn hunan?